A CLARIDADE LÁ FORA

CB067093

Livros da autora pela **L&PM** EDITORES:

Cartas extraviadas e outros poemas – Poesia
A claridade lá fora – Romance
Coisas da vida – Crônicas
Comigo no cinema – Crônicas
Divã – Romance
Doidas e santas – Crônicas
Felicidade crônica – Crônicas
Feliz por nada – Crônicas
Fora de mim – Romance
A graça da coisa – Crônicas
Liberdade crônica – Crônicas
Um lugar na janela – Crônicas de viagem
Um lugar na janela 2 – Crônicas de viagem
Martha Medeiros: 3 em 1 – Crônicas
Montanha-russa – Crônicas
Noite em claro – Novela
Non-stop – Crônicas
Paixão crônica – Crônicas
Poesia reunida – Poesia
Quem diria que viver ia dar nisso – Crônicas
Simples assim – Crônicas
Topless – Crônicas
Trem-bala – Crônicas

MARTHA MEDEIROS

A CLARIDADE LÁ FORA

Texto de acordo com a nova ortografia.

Capa: Ivan Pinheiro Machado. *Ilustração*: iStock
Foto da autora: Carin Mandelli
Preparação: Mariana Donner da Costa
Revisão: L&PM Editores

CIP-Brasil. Catalogação na publicação
Sindicato Nacional dos Editores de Livros, RJ.

M44c

Medeiros, Martha, 1961-
    A claridade lá fora / Martha Medeiros. – 1. ed. – Porto Alegre [RS]: L&PM, 2020.
    256 p. ; 21 cm.

    ISBN 978-65-5666-096-7

    1. Ficção brasileira. I. Título.

20-66334   CDD: 869.3
                         CDU: 82-3(81)

Camila Donis Hartmann - Bibliotecária - CRB-7/6472

© Martha Medeiros, 2020

Todos os direitos desta edição reservados a L&PM Editores
Rua Comendador Coruja, 314, loja 9 – Floresta – 90.220-180
Porto Alegre – RS – Brasil / Fone: 51.3225.5777

Pedidos & Depto. Comercial: vendas@lpm.com.br
Fale conosco: info@lpm.com.br
www.lpm.com.br

Impresso no Brasil
Primavera de 2020

"Viver é um rasgar-se e remendar-se."
GUIMARÃES ROSA

1

Se tivesse chovido durante a madrugada, teria sido perfeito. Um dos prazeres de Ligia era sentir os pés descalços sobre a areia gelada. A caminhada diária na beira da praia era um ritual que ela jamais cancelaria por causa de uma besteira, como o mau tempo – precisaria de um motivo à sua altura, algo como ter acordado com um profundo desprezo pela humanidade a ponto de não querer levantar da cama. Não foi o caso daquela manhã. Não estava detestando a humanidade mais do que de costume, e o ar estava fresco.

Sentir o friozinho no rosto lhe bastava como único tratamento de pele, não era mulher de se melecar com hidratantes. Gostava da luz do inverno. Dos humores do mar. Do silêncio a dois com Nuno, quando caminhavam lado a lado, rente à orla, tentando evitar as ondas que, às vezes, ganhavam um impulso inesperado, molhando a barra de suas calças de moletom. Ou de quando ambos ficavam entretidos com algum tema polêmico e esqueciam de cumprimentar, com um aceno discreto, os raros transeuntes que cruzavam por eles. Nos últimos meses, no entanto, Nuno andava tão cansado que preferia ficar sentado na areia, sobre um casaco puído, enquanto esperava Ligia percorrer a enseada de ponta a ponta.

A casa no modesto balneário de Torre Azul, comprada em 2003 com um dinheiro herdado após a morte do pai de Nuno, foi um salvo-conduto: não havia mais como suportar a convivência, na capital, com pessoas que invadiam sua rotina e os obrigavam a uma monótona conversa de elevador. Adultos que pareciam nunca ter saído da infância. Bobonas e bobões dedicados a reproduzir frases feitas, comentar futilidades e que se orgulhavam de sua cultura televisiva sem se importar com a carência de arte em suas vidas. Gente que lia, por ano, apenas um ou dois livros desimportantes e que só assistia a filmes que estivessem arrecadando boa bilheteria: pronto, resolvido o assunto cabeça. Panacas simpáticos. Fanáticos por futebol e novela. Devotos das piadas de mau gosto. Ter vivido em Paris durante os anos mais fundamentais de suas formações deu a Ligia e Nuno um lustro. Reconhecem a singularidade de tal privilégio, mas esperavam encontrar vida inteligente no lugar que deixaram ainda jovens, e não o deserto intelectual em que havia se transformado seu país. Brasileiros que consideravam filosofia uma matéria entediante, que conheciam Sartre de ouvir falar, que desprezavam os preceitos do existencialismo por estarem mais preocupados em ser fiéis à sua religião catequizante, que reclamavam do governo sem abandonar seus sofás, que mantinham uma sexualidade de carolas e se achavam muito modernos ao colocar os seios de fora num desfile de carnaval. Um elitismo decadente, que prestigiava baile de debutante e mesa de restaurante cinco estrelas onde o prato era servido cinco minutos depois de pedido, descongelado. O valor mensal da aposentadoria de Nuno e os frilas de Ligia como tradutora eram mais que suficientes para seus vinhos, sua conta de energia elétrica e demais necessidades de um isolamento confortável – incluindo o salário de Juliana.

Nuno saiu da praia apoiado no braço de Ligia, uma inversão de cavalheirismo. Envelhecia dois meses a cada dois dias. Ao voltarem da caminhada, abriram a porta da frente de casa, entraram na sala, e Ligia, atenta, percebeu que as quatro lâmpadas do lustre estavam acesas. As quatro. Um exagero de luz, já tendo passado das nove da manhã e com o sol brilhando lá fora. Ela apagou o interruptor e foi tratar desse assunto na cozinha, enquanto Nuno, depois de deixar seu casaco com restos de areia dependurado no cabide da parede, foi direto ligar o notebook, onde passaria um bom tempo conversando com Jerôme pelo Skype e pesquisando sobre as alterações preocupantes de sua saúde. Andava usando a internet como consultório médico gratuito.

A bela Juliana não tinha do que se queixar de seus 49 quilos e dos seus contornos, mas bem que poderia usar um pedacinho negligenciado do cérebro para se adequar às situações, pensou Ligia. Conteve-se para não comentar sobre o vestuário minúsculo de sua funcionária, cavado em excesso e de um colorido que ofendia suas retinas desacostumadas às cores cítricas.

"A luz da sala estava acesa."

Percebeu que havia assustado a moça entretida menos com a louça que estava lavando e mais com a música que saía de um celular que repousava sobre a bancada da pia, ligado a um carregador de bateria. Ignorando o pano de prato que só usava para eventos especiais, como retirar uma forma quente de dentro do forno, Juliana enxugou as mãos na própria camiseta e virou-se para a patroa com a insolência que sua idade permitia.

"Bom dia pra senhora também, dona Ligia."

Ligia não reagiu, no fundo gostava das provocações da menina, resquício de alguma inteligência embutida.

"A senhora saiu e deixou as cortinas fechadas, quando cheguei parecia noite. Acendi a luz da casa e, depois que abri as janelas, esqueci de apagar."

Ligia não era de manifestar ternura, nem mesmo quando via a jovem explicar-se sobre insignificâncias. A luz acesa até um horário diurno avançado, quando a luminosidade natural já invadia todos os recintos, não mudaria para pior o curso do mundo, mas havia em Ligia um maquiavelismo qualquer que a fazia sentir prazer em testemunhar o desconforto alheio. Desconforto que seu marido, naquele momento, estava driblando com elegância em frente ao notebook.

2

Alto e esguio, Nuno teria dado um bom jogador de basquete, mas tendo consagrado sua mocidade ao intelecto, o único esporte que lhe restou foi boxear contra o computador. Não que fosse um ignorante em informática, mas Nuno sempre caía em alguma armadilha tecnológica e não podia contar com a esposa para ajudá-lo, ela sabia menos que ele sobre essas geringonças, como carinhosamente chamavam os objetos que pareciam ter vida própria. Ligia usava o notebook apenas para suas traduções literárias e para comunicar-se por e-mail com as editoras – nem mesmo havia se dado o trabalho de montar um escritório em casa. Compartilhava o equipamento com Nuno e, quando dava preguiça de usar a mesa da sala, equilibrava o notebook sobre as pernas, em cima da cama. Além disso, insistia em usar um alquebrado telefone móvel cuja única utilidade era, justamente, telefonar, nenhuma outra. Nuno era tão disfuncional quanto ela, mas fingia ser um expert. Comportava-se como os homens de sua geração: relutava em entregar os pontos diante das dificuldades. Era comovente a expressão aflita que fazia diante da tela, onde se via a imagem de seu melhor amigo, que estava, naquele instante, em seu apartamento em Montmartre, a um oceano de distância. Mas sem áudio. Nuno enxergava Jerôme movendo a boca como se fosse um ator de cinema mudo.

"Jerôme, você está me escutando?", perguntou Nuno em francês.

Jerôme não estava escutando. Bastava olhar para seu semblante atabalhoado, a barba por fazer, quase sem cabelo, sem voz e, mesmo sendo mais de duas da tarde em Paris, ainda sem banho.

"Droga!", exclamava Nuno açoitando o teclado. Nessas horas, nada como um adolescente por perto. Alex, por algum milagre, não estava com seus fones enterrados nos ouvidos, então conseguiu escutar os resmungos do avô e veio do quarto em seu auxílio, aproximando-se por trás, lentamente, como quem teme cometer uma indiscrição.

"Que foi, vô?"

"Jerôme não me escuta", respondeu Nuno num lamento infantil, e essa fragilidade era das poucas coisas que enterneciam Ligia. Seu marido não tinha perdido a pureza. Ainda parecia o garoto tranquilo que sempre havia sido, único filho mimado de uma família de classe média alta que nunca passou por grandes apertos. Ao contrário de seus colegas agitados do colégio, ele preferia ler a praticar exercícios, e se nunca foi o líder da turma, tampouco foi excluído: não era de muitas palavras, mas quando falava, dizia sempre algo inteligente e espirituoso, ganhando a aprovação de todos, ao contrário de Ligia, que nunca fora exatamente simpática.

Alex não era alto como o avô e seu corpo permanecia franzino para seus quinze anos, uma magreza esbelta e ao mesmo tempo imatura, sem músculos definidos. Porém o rosto já sugeria o homem viril que haveria de se tornar. O nariz protuberante e os cabelos crespos antecipavam uma rebeldia que lhe cairia muito bem, era só aguardar os tombos futuros. Paciente, deu algumas clicadas no teclado que estava em frente ao avô e o convidou a tentar mais uma vez.

"Jerôme", chamou Nuno, de novo, com a voz enfraquecida de um náufrago.

"*Voilà!*", respondeu Jerôme, aliviado. Todos voltaram a se escutar.

Alex permanecia com a mão apoiada no ombro do avô, esperando o reconhecimento da sua ajuda, e ao receber de Nuno três leves tapinhas que significavam "ok, missão cumprida, pode ir", deixou a sala com o sorriso mil vezes reprisado de quem presta a mesma assistência como se fosse a primeira vez. Ainda escutou o avô iniciando a conversa com Jerôme – "*alors, mon ami*" – antes de alcançar a cozinha, o ambiente que resolveria um problema muito maior: sua fome.

Encontrou Ligia folheando o livro de receitas, enquanto Juliana lavava um prato que perigosamente se confundia com um pandeiro embaixo da água corrente, tal a empolgação da garota com o vibrante pagode que saía do seu celular.

"Tua música me acordou, Ju", disse Alex enquanto dava um beijo no rosto de Ligia e abria a geladeira. Ligia desferiu a primeira alfinetada amorosa do dia. "Elogio chamar isso de música."

Juliana virou-se para Alex, colocando o prato já lavado no escorredor e pegando o último que repousava sujo dentro da pia. Deu uma piscadinha marota para seu único aliado naquela casa que somava mais de 130 anos da dupla proprietária: 66 + 70. "Pra mim até barulho de vento é música", disse ela.

Ligia manteve o livro de receitas aberto entre as mãos, mas a cabeça ergueu-se como quem escuta um pássaro distante, visivelmente encantada com a inesperada revelação poética de sua jovem funcionária. Quase sorriu, ou realmente sorriu. "Bravo, Juliana. O vento é música. O som das ondas, também. Isso que você está escutando não é."

O conciliador Alex reconheceu a deixa para aliviar o clima, ainda que confiasse no espírito pacífico de sua amiga Juliana, a quem nunca enxergou como uma empregada doméstica. Ela era mais velha que ele – se é possível chamar uma garota de dezenove anos de velha –, além de atraente e esperta, mas o que os unia era a cumplicidade de uma geração contra a outra. Sem irmãos, ele tinha em Juliana a confidente perfeita para reclamar do excesso de música clássica e do exclusivismo que Ligia e Nuno cultuavam. Não lembrava dos avós recebendo amigos para um almoço descontraído. Só ligavam a tevê para assistir a filmes ou ao telejornal de um canal universitário que dava traço de audiência. Os livros já não encontravam lugar nas prateleiras e começavam a ser empilhados embaixo das camas, ao lado das estantes, brotando do chão como se fossem um amontoado de tijolos de uma obra inacabada. Eram comprados num sebo virtual e entregues pelo correio.

Alex, com uma fatia de presunto enrolada entre os dedos, deu uma espiada por trás do ombro de Ligia, da mesma forma que havia testemunhado Nuno brigar contra a tela do computador.

"Humm, receita francesa. Aniversário de alguém?"

"Um agrado para seu avô", respondeu Ligia. "Quem sabe um bouillabaisse traga o apetite dele de volta."

3

Nuno teve algumas namoradas durante a adolescência, mas não havia tomado a iniciativa da aproximação em nenhuma das vezes. Sentia-se mais um espectador da vida do que um protagonista, sempre observando os fatos com um misto de assombro e meiguice, sem se posicionar com veemência sobre as tantas coisas que via e escutava. Foi um jovem muito bem abastecido pelos livros que lia desde criança e pelas peças de teatro a que seus pais o levavam, quisesse ele ir ou não. A pressão deu certo. Acabou tomando gosto pelos espetáculos e passou a se interessar mais por música também, não só pelo rock que entorpecia e mobilizava a garotada daquele tempo. O contato mais aprofundado com a arte passou a satisfazê-lo e completá-lo de tal maneira que não se animava a tagarelar sobre amenidades, e era por esse silêncio confundido com mistério que as meninas se aproximavam a fim de desvendar um enigma que, na verdade, inexistia.

A formatura na faculdade de Sociologia coincidiu com o fim de mais um namoro sem grande importância. Seus pais consideraram o momento oportuno para que Nuno fizesse uma pós-graduação em Paris, para onde ele partiu sem medo, mas também sem entusiasmo, confirmando sua predisposição a uma neutralidade conveniente. Paris nunca havia sido um plano ou um sonho, mas não era estúpido de recusar um período na capital mais elegante e cultural da Europa.

Desembarcou no coração da França e logo suas aulas começaram, mas sobrava algum tempo livre, e ele resolveu buscar um emprego temporário para incrementar a mesada que recebia dos pais. Foi assim que se viu trabalhando num pequeno e modesto hotel, onde conheceu um hóspede permanente que havia saído da Provence para estudar Medicina na então recém-fundada Université Paris Descartes, na capital. Era Jerôme, que veio a se tornar seu melhor amigo e com quem Nuno, tantos anos depois, na sala da casa de Torre Azul, confidenciava intimidades nada animadoras.

"Minha urina está escura. E perdi cinco quilos. Cinco! A última vez que isso aconteceu foi quando Ligia saiu com você para tomar um café e voltou três dias depois."

"Ela quis tomar café em Toulouse."

Riram. Não conseguiam manter Ligia longe de seus pensamentos. Ela se tornara sócia-fundadora da amizade entre os dois rapazes. Poucos meses depois de se conhecerem, Nuno e Jerôme combinaram de ir juntos ao cinema para assistir a um filme de Truffaut. Na saída, misturados às demais pessoas da plateia que começavam a se espalhar pela calçada, foram surpreendidos por uma garota baixinha que se aproximou e, sem nenhum constrangimento por ter escutado a conversa entre os dois, perguntou a Nuno se ele era brasileiro. Havia reconhecido pelo sotaque. Descobriram que, coincidentemente, ambos eram naturais de Porto Alegre, e naquela mesma noite foram tomar um vinho, os três. Mais uma vez, Nuno havia sido caçado, agora não por causa de seu ar enigmático, e sim por, naquela época, ainda falar francês muito mal.

"Pior é o cansaço", continuou expondo seu problema para Jerôme. "Dei uma caminhada curta até a praia e parece que nadei até Madagascar."

"Sabe o que eu invejo em você? Além da Ligia?"

"Sei, morar perto do mar, você já me disse um milhão de vezes. Escute, coloquei meus sintomas no Google e..."

Jerôme o interrompeu bruscamente. "Isso só vai roubar seu sono, procure um médico."

"Achei que estava falando com um."

"Pode ser grave. Tudo indica que...", e então a voz de Jerôme sumiu outra vez, deixando Nuno exasperado com a ineficiência de seu notebook e com sua falta de jeito com o mundo moderno. Começou a surrar todas as letras e números do teclado enquanto procurava Alex com o olhar, mas o neto já estava longe do seu alcance. Jerôme continuava falando do outro lado, sem som, cinema mudo.

"Não estou te escutando mais. Sei lá se isso é bom ou ruim", disse Nuno para si mesmo.

Foi Jerôme que, desta vez, acionando alguns comandos, conseguiu restabelecer a conexão. "Estas tecnologias não são muito confiáveis", disse, sorrindo, com seu charme de galã. "Parecemos dois velhos caducos."

Nuno acalmou-se, e Jerôme, sem disposição para continuar debatendo as fragilidades físicas daquele que havia sido seu inseparável parceiro da juventude, deu uma guinada na conversa. "Conta, Nuno, saudades da vida acadêmica?"

"Nada. Parei de lecionar na hora certa. Hoje teria que competir com Facebook, Google, Instagram e sei lá mais o quê em sala de aula. Saudade eu tenho é de ir ao teatro."

"Fui ontem. Com uma amiga."

"Amiga? Seu sacana. Conte tudo, não sou invejoso."

4

Nuno segurava um livro com uma das mãos e com a outra se coçava como se quisesse arrancar a pele fora. Mesmo desconfiado de que algo não ia bem com sua saúde, continuava calmo como um Buda – mas se não era estresse, que razão haveria para essa comichão pelo corpo todo? Mal conseguia prestar atenção no que estava lendo. Ligia, enquanto isso, permanecia sentada à mesa da sala de jantar com o notebook aberto, ao mesmo tempo em que consultava um dicionário em francês a fim de concluir mais uma de suas traduções.

"*Sur un coup de tête*. Sempre fico na dúvida em como traduzir isso para o português."

"Dar na telha?", sugeriu Nuno.

"É uma sugestão boa. Melhor que 'de supetão'. Pensei em 'sob o impulso do momento', mas ficaria muito formal, contrastaria com o estilo da autora. Enfim, mais adiante eu confirmo com Jerôme."

Nuno fechou o livro, levantou-se com certa dificuldade, puxou uma cadeira e sentou-se à mesa, ao lado da mulher. Ligia acariciou o braço do marido, e ele colocou a mão sobre a mão dela. A passagem do tempo não desestimulava os pequenos gestos de carinho. "Você não me falou como foi a conversa de vocês", disse Ligia, fechando o notebook.

"Ele assistiu ontem a uma nova montagem de *Tartufo* no Théâtre des Champs-Élysées. Com uma amiga."

Ligia recolheu sua mão e arrumou o cabelo que não estava desarrumado. "Amiga. Sei."

Manteve o olhar perdido por algum tempo em direção ao nada, procurando enxergar, através da memória, uma cena do passado que significou, para ela, o seu maio de 68, apesar de ter chegado em Paris em 69. Ligia nunca fora uma criança dada a atos impulsivos. A chance de algum dia jogar um coquetel molotov em direção a policiais era nenhuma. Seu pai, austero como um agente da Gestapo, criou as duas filhas com rédea curta e não tolerava vocabulário chulo, muito menos atitudes rebeldes. A família não tinha posses, o dinheiro era curto, mas a educação era farta e o patriarca a ostentava para a rua inteira: já que não podia dar às suas meninas vestidos novos, ao menos as apresentava bem penteadas e com bons modos, o que, na concepção dele, significava caladas, contidas. Contenção da qual Ligia finalmente se libertou quando conseguiu do governo, graças ao seu excelente rendimento acadêmico, uma bolsa para concluir seus estudos na França, um sonho que foi batalhado com a determinação de quem não tinha um plano B. Estudante de Letras, Ligia via em Simone de Beauvoir um exemplo de mulher pensante, que não fazia concessões. Em suas fantasias de adolescente, enquanto a irmã dormia na cama ao lado, perdia o sono imaginando que trocava ideias e confidências de igual para igual com a feminista francesa – estava segura de que sua vida começaria no dia que entrasse em algum café do Velho Mundo e começasse a interagir com seus semelhantes, sem detectar nenhum pedantismo nisso. E foi o que de fato aconteceu. Viajou sozinha pela primeira vez e fez contato íntimo com sua verdadeira identidade, longe dos olhares controladores da família.

Quantos anos ela teria naquele dia? Uns 26, talvez. Namorava Nuno, mas nem sempre ele podia acompanhá-la em suas caminhadas, que desde então eram diurnas e diárias, um compromisso que ela não ousava falhar, mesmo quando os termômetros marcavam zero grau. Para sua alegria, aquele sábado amanheceu ensolarado e com a temperatura civilizada do início da primavera, e Ligia rumou direto para o Bois de Boulogne. Foi quando viu ao longe um casal que caminhava abraçado, trocando os sorrisos bobos de quem acabou de abandonar os lençóis depois de uma noite de amor. O rapaz, ninguém menos que Jerôme, se desvencilhou da namorada por um breve instante e se aproximou de uma barraquinha de crepe que estava a alguns metros de distância, fazendo com que a moça, repentinamente só, se transformasse num alvo tentador. Foi instintivo. Ligia viu a pedra no chão. Não era grande, seria fácil de arremessar. Pegou-a e jogou em direção àquela lambisgoia com muita vontade de acertar.

"Ligia?"

A voz de Nuno suspendeu a lembrança do episódio e conduziu a mente de Ligia para outro ponto da capital francesa, a avenida onde ficava o Théâtre des Champs-Élysées, tópico da conversa interrompida com Nuno.

"Avenue Montaigne...", disse Ligia após um suspiro. "Eu passava mal diante daqueles prédios da alta nobreza parisiense."

"Hoje você passaria mal diante das vitrines da alta-costura parisiense."

Ligia deu uma conferida no cashmere já meio gasto que estava usando, comprado numa Monoprix em liquidação na última visita que o casal fizera à França, há seis anos.

"Claro, sou viciada em grifes", ironizou.

Juliana veio da cozinha carregando pratos e copos vazios nas mãos, parecia uma experiente garçonete de uma lancheria de beira de estrada. A toalha xadrez pendia no antebraço, como se fosse um cabide. "Dá licencinha para eu pôr a mesa? Quase pronto o almoço."

Ligia pretendia dar prosseguimento à tradução que lhe fora encomendada e não se animou a recolher seus apetrechos de trabalho. Além disso, a anemia de Nuno inspirou uma mudança de planos em busca de algo salutar.

"Vamos comer no jardim hoje."

Sem fazer comentários, Juliana alterou seu trajeto e seguiu com a louça em direção ao local preferido da dona da casa, um pequeno pátio aberto, gramado, cercado por um muro branco de altura média, enfeitado por algumas hortênsias e outras flores mais humildes. Uma mesa redonda de ferro e quatro cadeiras desconfortáveis compunham o cenário bucólico e provençal, quebrado apenas por uma prancha de surf encostada na parede da casa.

Nuno não fez objeção à sugestão da esposa, que justificou sua decisão de almoçar ao ar livre com um "*sur un coup de tête*" bem pronunciado. Era isso. Deu na telha.

5

O dono da prancha raspou todo o prato com um pedaço de pão, acompanhado pelos olhos atentos dos avós, que não escondiam o prazer de receber a visita do neto adolescente. "Maneiro esse sopão", disse Alex. Ligia fechou os olhos diante da heresia que havia acabado de escutar. Quando voltou a abri-los, soletrou como se pronunciasse o verso de um poema: "Bouillabaisse, por favor".

Alex olhou para o avô em busca de cumplicidade. Nuno sorriu, como sempre sorria, porém agora com um leve esforço que o deixava incomodado – antes, tudo nele era mais natural. Mas antes do quê? Seu prato ainda estava quase cheio. Por sorte, Ligia estava tão focada no neto que não fizera nenhuma alusão ao fato de Nuno ter dado apenas duas colheradas e logo cruzado os talheres.

"Já arrumou sua mochila?", Ligia perguntou a Alex. "Sim, general." Algum desconhecido se espantaria com a falta de cerimônia daquele garoto de quinze anos diante de uma figura que era vista pela comunidade de Torre Azul como um totem de poucas palavras e nenhuma amabilidade. Ligia nunca disfarçou sua indiferença em relação aos vizinhos e demais habitantes do local em que escolheu viver com Nuno – melhor dizendo, que escolheu *se esconder* com Nuno. Tamanha sisudez gerava um respeito gélido por aqueles que cruzavam com o casal, e, mesmo sendo um senhor relativamente afável, Nuno colhia os dividendos da soberba de Ligia: acabou não fazendo muitos amigos por lá também.

"Nem pense em perder o ônibus da tarde. Amanhã você tem colégio, já matou aula hoje", lembrou a avó.

"Não gosto de ir para o colégio", respondeu Alex.

"Alguém gosta?", interferiu Nuno.

"Eu odiava", sacramentou Ligia, para admiração de sua plateia de dois. Era sabido que Ligia não faltava aula nem mesmo quando tinha motivo para isso – não suportava a ideia de estar perdendo alguma coisa. Devorava livros, prestava atenção sincera no que diziam os professores, não colava nas provas e não dava cola também, justificando-se para as colegas com o fatal "faço isso para o bem de vocês", como se fosse uma espécie de madre superiora infiltrada entre delinquentes. Surpresa seria se ela tivesse se tornado uma garota popular.

"Estudar era bom. A única coisa boa. A hora do recreio era um inferno", continuou Ligia.

"Sua avó sempre foi excêntrica. É a única mulher que eu conheço que foi sozinha para a maternidade", disse Nuno para Alex, sem esconder certo orgulho da autossuficiência da esposa. Ligia tinha a resposta na ponta da língua, como sempre. "A alternativa seria esperar seu avô voltar de Avignon de ônibus. O que são 690 quilômetros para uma gestante cuja bolsa acabou de arrebentar?"

Alex estava mais interessado na razão de sua avó não ter boas lembranças dos intervalos entre as aulas. Descobriu ali uma afinidade com ela. "O que acontecia durante o intervalo?", perguntou o garoto. Juliana interrompeu o diálogo trazendo uma bandeja com três cafezinhos. Alcançou um guardanapo de papel para Alex. "A conta", disse Juliana, que ria sozinha das próprias piadas.

Alex não deixou que a interrupção atrapalhasse o andamento da conversa, estava realmente curioso a respeito da dificuldade da avó de se divertir com as colegas no pátio. "Fala, vó", insistiu.

"Bobagem, tome seu café."

"Fala."

"Eu tinha que reaproveitar o uniforme da minha irmã mais velha, nossa família não tinha muitos recursos. Sempre fui mignon e ela era o dobro do meu tamanho. As mangas vinham até aqui", demonstrou, com evidente exagero, o comprimento do tecido que, se fosse como ela dizia, daria para cobrir dois metros de braço. "A gola sobrava no pescoço. Eu parecia um palhaço, um moleque. As meninas me chamavam de bicha, perguntavam se eu deixaria a barba crescer."

"Isso não é bobagem", sentenciou Alex.

"Meninas são perversas. Acho muita graça ao ver o mundo idealizar as mulheres, como se todas fossem imunes à maldade. Durante a infância não lembro de ter tido uma única amiga, digo, amiga mesmo. Nem brincar de boneca eu gostava. Já percebia, desde pequena, que o universo feminino era ardiloso, competitivo. Percebia isso até dentro de casa. Minha irmã tentava seduzir meu pai para ganhar mais atenção do que eu, era a filha mimosa que nada questionava, apenas o obedecia e o adulava. E minha mãe se submetia ao machismo do marido para conseguir o que desejava dele, fosse um dinheirinho extra para comprar algum metro de cambraia, fosse para assegurar a paz na terra – imagine fazê-lo passar pelo desconforto de não ser considerado um rei em seu próprio lar. Elas eram muito boazinhas, irritantemente boazinhas. A espontaneidade parecia uma qualidade proibida a qualquer criatura que usasse saias. Os métodos de manipulação variam de umas para as outras, mas não existe mulher ingênua, portanto, pode-se esperar tudo delas, inclusive as humilhações que sofri quando criança. Garotos são menos cruéis", sentenciou Ligia.

"São cruéis também", disse Alex enquanto largava sua xícara em cima da mesa. Juliana ainda não havia se retirado, segurava a bandeja em frente a Nuno, numa insistência sem efeito. "Nem um cafezinho? O senhor não tocou na comida."

6

Ainda não eram três horas quando Ligia começou a se despedir do neto na calçada, ritual que se repetia a cada final de visita. Nuno se aproximou e apalpou a mochila que Alex carregava nos ombros. "O que tem de tão pesado aí dentro? Não diga que é livro, não posso me emocionar." Alex simulou um soco no estômago do avô, enquanto Ligia tentava ajeitar a gola da camiseta do neto. "Não demore para voltar, querido. Não tem ninguém aqui com quem valha a pena conversar", disse Ligia sem reparar que Juliana surgia por trás, de banho tomado, pronta para deixar a casa usando seu short vermelho e uma blusa tão justa que parecia ter sido comprada por engano no departamento infantil de algum magazine. Não que Ligia se preocupasse com os sentimentos de Juliana, mas comemorou internamente o fato de ela estar com seus fones embutidos em cada orelha, uma surdez providencial.

"Indo para a rodoviária, Alex? Meu caminho", ofereceu-se Juliana como companhia.

O menino beijou a avó e o avô, enquanto a funcionária lançava um aceno para seus patrões. Os dois jovens deram as costas e saíram caminhando lado a lado como bons amigos que eram desde que Juliana fora contratada, três anos antes, ainda menor de idade, para fazer a limpeza da casa duas vezes por semana. Ligia, aos poucos, ensinou Juliana a cozinhar, e a partir de então a garota passou a trabalhar todos os dias pela manhã, ganhando folga assim que terminasse de lavar a louça do almoço para que à tarde pudesse fazer um curso, sobre o qual não falava muito a respeito.

Torre Azul era mais do que pacata – nunca alcançou o status de balneário de férias. No verão, o movimento aumentava um pouco, algumas casas que pareciam assombradas amanheciam de janelas abertas, e uns garotos surgiam para surfar, já que o mar era considerado bom para o esporte, mas nada que determinasse uma mudança radical de atmosfera. Os nativos não passavam de três mil. O comércio estava concentrado numa única loja que vendia artigos de cama, mesa e banho, bazar e eletrodomésticos, e mais meia dúzia de butiquezinhas modestas que vendiam roupas e acessórios que em nada lembravam a moda glamurosa das revistas. Havia duas padarias, três mercearias, uma peixaria e um supermercado bem abastecido, onde ficava o açougue. Também uma igreja, uma escola pública, uma oficina mecânica, a minúscula rodoviária, um posto de combustível e um posto de saúde localizado na rua central, que era pavimentada com paralelepípedos. Um único edifício de três andares abrigava o cartório, a delegacia, o dentista, um escritório de advocacia e outros pequenos serviços. No mais, casas com jardim habitadas por famílias vocacionadas a uma rotina sem sobressaltos e cujo único compromisso era aguardar a morte. Aliás, o cemitério ficava em meio a um matagal, numa área mais afastada, cujo acesso era de terra batida. Na vizinhança, o bar Galpão espantava os fantasmas, acolhendo os poucos jovens do vilarejo que se reuniam para beber, jogar sinuca e eventualmente dançar, quando alguém se dispunha a ser o DJ da noite. A cidade mais próspera ficava a 25 quilômetros de distância, e Porto Alegre a 190 quilômetros por estrada asfaltada. Era de se esperar que um casal que morou em Paris fosse considerado a principal atração turística de Torre Azul. Encerrados neles mesmos, eram intelectuais aposentados que passavam boa parte do dia no computador e boa parte da noite assistindo a filmes em casa e tomando vinhos, alguns de marcas sofisticadas que encomendavam de uma distribuidora da capital. No entanto, o casal era apenas a segunda atração da localidade – a primeira era a praia, que só não atraía mais gente por causa da precária infraestrutura de lazer. Era constituída de duas enseadas separadas por uma formação rochosa brotada do solo que causava forte impacto visual, o que estimulou a compra do imóvel naquele lugarejo. Mesmo donos de um apartamento confortável em Porto Alegre, Ligia e Nuno acabaram se adaptando a uma vida de exilados em seu próprio país.

Enquanto Alex e Juliana se afastavam pela calçada, Nuno colocou o braço em torno do ombro de Ligia. Observaram Juliana tirar um de seus fones do ouvido e colocar no ouvido de Alex, ficando ambos unidos pelos fios do mesmo aparelho.

"Se dão bem esses dois. Gostam das mesmas porcarias", disse Nuno.

"O que você acha que eles estão escutando?", perguntou Ligia, sem tanta curiosidade assim.

Nuno prestou atenção no gingado de Juliana, que mexia a cabeça de modo a movimentar seu rabo de cavalo de um lado para o outro, como num desenho animado, enquanto Alex marcava o ritmo da música com as mãos, e pensou em como era ridículo ver duas pessoas dançarem em meio ao silêncio, quando não se pode escutar o que só elas escutam. "Algum noturno de Chopin, com certeza."

7

Apesar de o supermercado da cidade ser asseado e ter uma ótima variedade de produtos, Ligia preferia fazer compras na pequena mercearia que ficava a três quadras de sua casa, uma maneira de prestigiar a Europa em vez de os Estados Unidos – não suportava os grandes espaços de consumo que os americanos celebravam e que o Brasil insistia em imitar. A mercearia era abafada, apertada e um pouco escura, mas ela sabia exatamente onde encontrar o que precisava e, com a cestinha na mão, foi atrás da baguete que saía do forno sempre no mesmo horário. Pegou dois litros de leite, escolheu um maço de rúcula e outro de salsa, e resolveu dar uma conferida na prateleira dos vinhos – raramente encontrava algo razoável, mas desde que tinha reclamado com o dono sobre a baixa qualidade das marcas oferecidas, ele passou a vender um sauvignon blanc chileno de qualidade mediana, que poderia acompanhar um lanche prosaico num fim de tarde de poucas exigências. No exato instante em que pegava a garrafa, Ligia foi surpreendida por uma voz que a fez desacreditar que sua solidão estaria protegida num lugar tão pouco frequentado.

"Com licença, você é a avó do Alex?", perguntou Solange, uma mulher já entrada nos quarenta anos, com seios fartos acomodados numa blusa de malha azul-celeste. Sem sorrir, Ligia dedicou-lhe a simpatia habitual.

"Depende."

"Sou mãe do Matias, amigo dele."

Ligia não chegou a desgrudar o lábio superior do inferior, mas eles se expandiram um milímetro para cada lateral, a fim de simular um risinho para aquela estranha que a segurava pelos ombros e iniciava o processo de lhe dar dois beijos, um em cada bochecha. Ligia continuava sem entender por que os brasileiros se sentiam tão íntimos uns dos outros, mesmo sem nunca terem se visto antes, e desejou que uma nave espacial fizesse um desvio de rota e viesse resgatá-la daquela situação desconfortável.

"Procurei você no Facebook e não encontrei. É inaceitável que você não tenha um perfil em pleno 2015. Como consegue?", perguntou sua mais nova amiga.

"É alguma pesquisa?", foi o que Ligia conseguiu articular, mas falou tão baixo que mal pôde escutar a si mesma.

"Vamos nos hospedar na casa da minha irmã em Porto Alegre por um tempo. Estamos preparando a partida de Matias. Ele vai estudar nos Estados Unidos."

Ligia levantou as sobrancelhas para demonstrar interesse, já começando a se cansar de tanta ginástica facial.

"Ele tem sofrido bullying na escola", continuou Solange. "Está na hora de conviver com gente mais civilizada. Tentei avisá-la através do Face, mas já que encontrei você pessoalmente..."

"Às vezes funciona também."

Ligia estaria falando baixo demais ou a tal Solange não entendia mesmo nada de sarcasmo? Sem conseguir dar um passo para trás, já que estavam prensadas entre duas gôndolas, Ligia se viu recebendo mais dois beijinhos em menos de três minutos de conversa.

"Entre logo no Face, é uma cachaça, você vai adorar", recomendou Solange antes de se esgueirar rumo à porta de saída. Ligia a observou se afastar e então se deu conta de que ainda estava com o vinho chileno nas mãos. Colocou-o dentro da cesta e ainda esperou trinta segundos antes de ir para o caixa, fingindo que procurava alguma outra coisa que obviamente não necessitava. Que desaparecesse a tal Solange, bastava de encontros, era emoção demais para uma única tarde.

Ao voltar para casa, encontrou Nuno diante da tevê, esparramado no sofá e tomando o primeiro cálice de vinho da noite – de uma noite que, aliás, ainda não havia iniciado. Ligia deixou na cozinha a sacola que havia trazido da rua, cortou algumas fatias da baguete, pegou um queijo e um patê na geladeira e levou tudo até a mesa de centro, junto com dois pequenos pratos, uma faquinha e alguns guardanapos de papel.

"O que você está vendo?"

Nuno não respondeu, estava com o olhar perdido em algum ponto remoto e passava o dedo pelo cós da calça, percebendo como ela estava folgada na cintura. Ligia foi até a cristaleira da sala, pegou um cálice para si mesma e se sentou ao lado dele, que continuava alheio. O polegar de Nuno deslocava-se aflito de um lado para o outro do cós, sem fazer contato com o abdômen. A calça sobrava. Ligia se serviu de um pouco do vinho tinto já aberto, mas não gostava de beber quando ainda havia uma réstia de luz lá fora. Ainda faltavam alguns minutos para as seis horas. Tentou resgatar a conversa que tiveram pela manhã.

"O que mais Jerôme falou?", perguntou ao marido.

"Que foi uma das melhores montagens de Molière que já assistiu. Melhor até que *O doente imaginário*. Lembra que vimos juntos, nós três?"

"Estou falando de um doente real. O que ele disse sobre você?"

Nuno suspirou, como sempre fazia quando dispensava a ajuda do humor para falar de coisas sérias. "Recomendou que eu fizesse exames mais detalhados. Urgentemente."

8

Ligia se congratulou por manter o hábito de, a cada dez dias, ligar o motor do carro para não deixar que a bateria morresse, era impossível prever as situações em que precisaria do veículo. Em Torre Azul quase não dirigiam, as distâncias eram percorridas a pé com facilidade, então foi com uma empolgação de adolescente que Ligia foi para trás do volante do veículo que tão raramente saía da garagem. Dirigir na estrada era um de seus maiores prazeres, uma sensação de não estar em local algum e em nenhum tempo específico, apenas o movimento conduzindo seu corpo, assim como seus pensamentos. Além disso, a música parecia se agigantar quando escutada em um ambiente restrito. Escolheu um CD de John Coltrane e teria preferido escutá-lo em alto volume, mas moderou, já que Nuno dormia a seu lado. Melhor assim, uma viagem na parceria de alguém inconsciente, que não se afligiria por estar sendo deslocado a 130 quilômetros por hora. Apesar de pisar no acelerador mais do que os radares permitiam, Ligia ficava atenta à sinalização para evitar multas. Chegaram a Porto Alegre menos de duas horas depois.

O apartamento, como era de se esperar, estava escuro, triste e com o cheiro de abandono comum aos imóveis desocupados. Ao abrir as janelas, Ligia percebeu as camadas de pó sobre a mesa e sobre o aparador ao lado da porta, onde ficava o inútil telefone fixo. Lamentou não ter trazido Juliana para ajudá-la, mas a decisão de partir havia sido repentina, e o plano era não se demorar em Porto Alegre, só o suficiente para Nuno realizar exames clínicos a fim de descobrir o que estava roubando sua energia e tornando seus dias tão difíceis de serem vencidos.

Nuno desconsiderou o pedido de Ligia para que não se deitasse sobre a colcha que cobria a cama – ela tinha certeza de que havia outra mais limpa guardada em algum lugar do armário, procuraria por ela assim que saísse do banheiro. Olhou-se no espelho e gostou da própria aparência: não parecia cansada. Não *estava* cansada. Pensou até em convidar Nuno para ir a algum restaurante do bairro, há muito tempo não cometiam a extravagância de conviver com outras pessoas num grande centro urbano, mas ao abrir a porta da suíte viu que Nuno já estava deitado, de sapatos e com os olhos fechados, como se não tivesse repousado o suficiente no banco do passageiro. Ele não se moveu nem mesmo quando o celular de Ligia começou a tocar na sala.

"Milagre, saíram do esconderijo", disse Alex ao telefone, assim que soube que os avós estavam na cidade.

"Seu avô veio fazer uns exames."

"Merda!"

"Calma, Alex, ninguém sabe ainda do que se trata, pode ser uma bobagem qualquer."

Ao mesmo tempo em que falava com a avó pelo celular, Alex estava concentrado na tela do seu desktop, jogando no computador. Aquele "merda" nada tinha a ver com os exames laboratoriais de Nuno, e sim com uma manobra desastrada que o fez ser assassinado pelo vilão do game, mas preferiu não explicar.

"Encontrei a mãe do Matias", prosseguiu Ligia. "Contou que ele vai estudar nos Estados Unidos."

"Tô sabendo. Não aguenta mais os apelidos que dão pra ele no colégio."

"Que apelidos?"

"Dálmata. Cara de vaca. Ele tem aquele troço na pele, como é o nome mesmo?"

Enquanto caminhava pela sala, Ligia se perguntava por que mantinha tantas cortinas pesadas em um apartamento que quase não era usado. Talvez devesse trocar por persianas mais práticas e fáceis de limpar. Afastou para o lado uma parte do volumoso jacquard e avistou a rua lá embaixo.

"Vitiligo."

"Os babacas não dão trégua pra ele. Os caras são uns monstros."

Enquanto escutava o neto, Ligia percebeu uma traça caminhando no vidro. O asco a fez agir rápido. Pegou uma revista velha que estava em cima da mesa de centro, enrolou-a e bateu nela com força – mais força do que necessário – deixando o inseto esmagado contra a janela. Temeu que o barulho pudesse ter acordado Nuno.

"A mãe está aqui do meu lado, vó, quer falar com ela?"

Ligia sentiu uma tontura misturada com enjoo. Sentou-se no sofá. Sabia que teria que buscar um pedaço de papel, um pano, qualquer coisa para retirar aquela gosma que ficou na janela. Lembrou que pessoas que saem de seus casulos precisam estar preparadas para certos enfrentamentos.

"Não. Não, Alex. Estou muito ocupada, só queria avisar que a gente está aqui na cidade. Venha nos ver. Um beijo." Desligou e continuou sentada na beira do sofá com o celular entre as mãos, as costas eretas como quem fosse se levantar de imediato, mas manteve-se inerte por longos minutos, observando o nada demoradamente.

9

Os exames haviam sido agendados com antecedência por intermédio de um médico da família que continuava admiravelmente vivo – pelas contas de Nuno, o sujeito tinha entre noventa e cem anos, o que não deixava de ser uma prova de competência profissional. Foram recebidos pelo doutor em seu consultório, que ficava no mesmo prédio do hospital, e logo Nuno foi encaminhado para a batelada que durou toda a manhã. Depois de coletar sangue no laboratório, fez uma ecografia abdominal seguida de uma ressonância magnética – um rastreamento minucioso em um corpo que até então não havia dado defeito. Ligia, na sala de espera, não sabia mais como ocupar-se. As revistas eram folheadas sem a menor concentração, e as pessoas à sua volta não levantavam a cabeça nem para ver as horas no relógio da parede, estavam curvadas, todas, em direção a seus smartphones e ao mundo espetacular que ali era postado a cada segundo. Ligia se perguntou o que estaria perdendo por não estar em nenhuma rede social, mas não teve tempo de formular uma resposta. Por trás de uma porta surgiu Nuno em seu um metro e 89 centímetros e 65 quilos que já não preenchiam camisa, calça e distinção. Arrastando os pés, disse que precisava comer alguma coisa, frase que Ligia não escutava havia muito tempo e que a fez ter a infeliz ideia de resolver a questão no andar térreo do prédio, onde havia uma cantina que não merecia esse nome. A comida era intragável e pela primeira vez Ligia acompanhou a inapetência do marido.

Antes de retornar para o apartamento, propôs a Nuno um passeio de carro pela cidade: fazia tempo que não avaliavam o contraste entre a metrópole populosa e seu pequeno paraíso perdido. Percorreram diversos bairros. Enquanto dirigia, Ligia olhava para os lados como se estivesse à cata de um endereço, o que não passou despercebido por Nuno. "O que você está procurando?" Ligia suspirou antes de responder. "Alma." Nuno jogou a cabeça para trás, satisfeito por reconhecer mais uma vez a provocação daquela mulher habituada ao primitivismo de Torre Azul, onde vivia seu caso de amor com a solidão.

Estacionaram o carro na garagem do edifício e entraram no elevador apoiados um no outro. Em catorze segundos chegaram ao terceiro andar. Ligia deixou a cabine primeiro, empurrando a pesada porta de madeira, seguida por Nuno, que parecia ter enfrentado dez lances de escada, tamanho era seu desgaste físico. Enquanto Ligia procurava a chave dentro da bolsa, uma mulher saiu por uma das portas do corredor, batendo-a com espalhafato. Vestia uma calça muito justa, uma camiseta com a estampa de uma divindade hindu, brincos enormes e uma sandália vermelha de salto. O amplo sorriso no rosto e os cabelos encaracolados sintonizavam com a indumentária.

"Meus vizinhos, enfim! O porteiro falou que vocês tinham chegado."

Antes que Ligia pudesse raciocinar, já estava apertando a mão daquela novidade em sua vida. "Me chamo Rosaura. Moro aqui", disse a mulher apontando para uma porta lilás, a única fora do padrão. "Há seis meses."

Nuno recobrou a voz e até arqueou as costas para falar com a moça. "Não moramos aqui. Há doze anos."

"Que bem-humorado. Velho geralmente é ranzinza."

Nuno e Ligia olharam um para o outro, procurando se certificar de que a cena estava acontecendo mesmo e não era um ensaio de uma sitcom. Quando olharam de volta para Rosaura, ela já estava caminhando – rebolando – em direção ao elevador e logo desapareceu dentro da cabine. Ligia abriu a porta do apartamento e foi direto para o banheiro, enquanto Nuno permaneceu estaqueado no corredor como se tivesse visto um ser de outro planeta.

"Gostei dela."

10

Assim que Nuno recebeu os resultados dos exames, telefonou para seu médico, a fim de confirmar se havia interpretado direito. Sim, havia. O médico solicitou que ele marcasse uma hora para decidirem juntos os próximos passos. Nuno concordou. Ficou de retornar em breve ao hospital e desligou o telefone. Correu para seu notebook antes mesmo de falar com Ligia, que havia dado uma saída. Precisava contar a Jerôme.

"Tem certeza?", perguntou o francês.

Nuno, com a fisionomia séria, não respondeu de imediato, apenas assentiu com a cabeça, pausadamente. Ambos permaneceram alguns segundos em silêncio, e então Nuno se sentiu impelido a completar a notícia.

"E em estado avançado."

Jerôme sentia o desconforto de um presidiário numa cela sem ventilação, a 42 graus centígrados. Não havia escapatória nem alívio para sua falta de ar. Sumiria, se houvesse a chance, mas manteve-se firme em frente a tela de computador, diante de seu melhor amigo, que morava num país distante e que lhe dava uma informação que parecia mais distante ainda, vinda de algum lugar onde ninguém gostaria de estar.

"O que pretende fazer, Nuno?"

"Comprar um terno decente."

Nuno sendo Nuno. O humor ácido dava permissão para entrar no assunto sem meias-palavras.

"Câncer de pâncreas é muito agressivo", vaticinou Jerôme.

"Acho que ainda vai dar tempo de terminar o livro que estou lendo."

Jerôme manteve-se quieto e ao mesmo tempo inquieto: nem sempre conseguia distinguir quando Nuno estava brincando ou sendo absurdamente honesto.

"Tem 870 páginas", acrescentou.

Era a senha para desembaraçar a conversa. Jerôme descontraiu o rosto, e Nuno abaixou a cabeça para esconder um sorriso que poderia virar outra coisa. Quando levantou a cabeça de novo, continuava brincando, mas o semblante revelava uma angústia difícil de ocultar.

"Não é justo, Jerôme, você é mais velho que eu, deveria morrer antes."

O coração de Jerôme começou a bater acelerado, por isso teve o cuidado de fazer a pergunta seguinte com tranquilidade, como se fosse algo natural.

"Você está com medo?"

"Não." Nuno reconhecia que era uma resposta incompleta. "Mas, se você tentar me convencer de que existe vida eterna, vou ficar."

Ambos riram com a condescendência de quem escuta uma piada da qual já se conhece o final. E então ficaram calados por um tempo incomum para quem está participando de uma chamada de vídeo pelo Skype. Olharam-se nos olhos e não parecia que estavam, ambos, diante de uma tela, e sim frente a frente à mesa de um café em Montparnasse, como nos tempos da juventude, dois rapazes estreantes nos mistérios da vida, que jamais se censuravam ao debater sobre os infinitos desafios da existência humana. Jerôme estava visivelmente emocionado. Num impulso, aproximou sua mão da tela, tocando-a como se estivesse de fato a poucos centímetros do rosto de Nuno que, comovido, fez menção de repetir o gesto, aproximando também seus dedos dos dedos de Jerôme. Mas interrompeu o ato a tempo.

"Não. Muito gay."

11

Ligia não imaginava que a estada na cidade seria esticada por tanto tempo – e um tempo difícil. A fraqueza de Nuno ficava cada dia mais evidente. Não conseguiria cuidar dele sozinha, soube disso poucos dias após os primeiros exames, quando Nuno passou por um episódio que feriu sua dignidade e revelou a inaptidão de Ligia para lidar com o declínio do marido. Ele estava dentro da banheira, em pé embaixo do chuveiro ligado, quando sentiu o corpo estremecer. Era como se seus alicerces estivessem afundando sob seus pés. Enquanto tremia por inteiro, percebeu que fezes amolecidas escorriam pelas pernas. Perdera o controle do esfíncter, não era mais dono de reação alguma. Sentou-se na banheira a fim de minimizar seu desmoronamento. A água ainda caía sobre sua cabeça, surrava-o na nuca, enquanto ele mantinha as pernas dobradas, recolhidas. Cruzou os braços sobre o tórax esquelético e manteve as mãos presas embaixo das axilas, como se dando um abraço de despedida no próprio corpo. Quando Ligia entrou no banheiro, alertada pela demora do marido, viu-se diante de uma cena que era ao mesmo tempo nojenta e terna. Seu homem, seu menino, o início do fim.

Ligia desligou o chuveiro, mas não conseguiu fazer Nuno se mover, ele parecia aguardar a desintegração total, virar poça e suavemente escorrer pelo ralo, uma solução líquida e definitiva para um desfecho que jamais sonhara para si. Imóvel, calado, mas consciente, ele não entendia como podia estar escutando batidas furiosas na porta se Ligia estava ali, entrando e saindo do banheiro a todo instante, trazendo toalhas limpas, um balde e muita inquietação – ela tampouco estava preparada para nada daquilo. Em uma de suas ausências do banheiro, Nuno reparou que ela falava com alguém na sala, eles já não estavam sós. Ligia tentava evitar que alguém entrasse naquele ambiente fétido, mas não resistiu tanto assim, pois logo Nuno percebeu que agora eram três, e a terceira pessoa era uma mulher. Nuno fechou os olhos, como se isso pudesse torná-lo invisível e livrá-lo daquela humilhação.

O fato é que Rosaura, ao passar pelo corredor do prédio, em frente à porta dos novos vizinhos, escutara Ligia insultar a Deus e gritar aflita o nome do marido. Batera à campainha e não fora atendida. Sabendo que havia gente em casa, insistiu. Nada. Começou a bater na porta com a decisão tomada de não sair dali enquanto não fosse recebida. Quando Ligia finalmente abriu, não parecia a dama empostada que havia conhecido dias antes, saindo do elevador. Com uma das mãos segurava fixamente o trinco e com a outra puxava os cabelos para trás, como se quisesse arrancar a testa fora. O desamparo desalinhava sua postura e também a camisa que vestia. Ligia tentou evitar a visita inoportuna.

"Meu marido não está bem. Volte outra hora."

"Estão precisando de ajuda?", perguntou Rosaura, espiando por cima do ombro de Ligia a fim de decifrar o enigma que se escondia no fundo do apartamento.

"Você é médica?"

"Astróloga."

"Depois, por favor", disse Ligia reduzindo a abertura e impedindo a passagem, mas Rosaura não perderia a chance de ser útil a uma vizinha em desespero. Forçou a entrada segurando a porta de um jeito que sua mão ficaria esmagada caso Ligia a fechasse.

"Dá licencinha, onde é que ele está?" Rosaura já havia se plantado no meio da sala.

12

Nem em seus piores pesadelos, e Ligia colecionava alguns, passou por situação similar. Uma mulher estranha, dentro do seu banheiro privativo, erguendo o corpo do seu marido nu e dando-lhe um novo banho a fim de livrá-lo da merda que grudara nos pelos do seu corpo. Mas reconhecia que, sozinha, não teria força suficiente. Quando Rosaura, meia hora depois, deixou o apartamento com o status de quem entrou para a família, Ligia era só cansaço, gratidão e estupor. Não estava acostumada a dividir uma experiência tão íntima nem mesmo com seus pensamentos. Nuno, em choque, só abriu os olhos no dia seguinte.

Depois de uma nova consulta e de uma longa conversa, o casal concluiu que no hospital Nuno ficaria mais bem assistido. Ele sentia muitas dores estomacais e a náusea o deixava incapacitado até para tarefas corriqueiras, como ligar um abajur. Sem falar no pânico de voltar a passar por alguma cena semelhante à do banheiro. Não suportaria reprisar sua desestruturação física e moral. Mesmo que não acontecesse com regularidade, os médicos, conscientes da rápida progressão da doença, entraram em acordo e decretaram a baixa do paciente.

Os dias arrastavam-se no hospital. O rosto de Nuno não tinha cor de nada, e a pele despencando dos braços denunciava sua esqualidez, mas ainda conseguia segurar um livro, o que o salvava do tédio. Quando não estava dormindo, conseguia manter a concentração e acompanhar a história. Recusava-se a escutar alguém lendo em voz alta para ele. Nem mesmo se fosse Ligia, que se ofereceu para a tarefa, sem grande insistência. Ambos consideravam a leitura um momento sagrado, quando acontecia o encontro da voz interna do leitor com a voz inaudível do escritor. Qualquer outra interferência era desprezada pelo casal, que só tolerava a leitura oral quando feita para crianças.

Era início da tarde, pouco depois do meio-dia. O quarto cheirava a éter e parecia um espaço alienado da realidade, não se sabia se era terça, quinta, feriado. Ambos estavam quietos, cada um lendo seu livro, quando Ligia recebeu uma chamada no celular e pediu licença para atender no corredor. Nuno se deu conta de que fazia muitos dias que não ficava sozinho nem por um minuto, já que Ligia só se ausentava quando havia uma enfermeira de prontidão. Desta vez, ficou quase dez minutos na companhia única de seu tormento. Esse pequeno intervalo de tempo fez com que ele se sentisse um adulto novamente e quase teve esperança, não sabia bem de quê. Mas logo Ligia abriu a porta do quarto, retornando.

"Tem um médico aqui. Quer ver você", disse ela sendo seguida por alguém que Nuno, pelo ângulo em que estava deitado na cama, ainda não conseguia enxergar. "Um médico? *Aqui?* Nunca imaginei." Ligia abriu toda a extensão da porta, e Nuno, incrédulo, largou o livro sobre o colo sem nem marcar a página. Na sua frente estava Jerôme, simplesmente Jerôme, em pé, analógico.

"Era a certeza que faltava de que não tenho salvação", disse Nuno sem conseguir conter um involuntário tremor na voz.

13

Mesmo que a visita não fosse o motivo principal do deslocamento de Jerôme até a América do Sul – na verdade, ele estava a caminho de um congresso em Buenos Aires –, o pit stop para rever seu amigo da vida inteira teve um efeito restaurador no ânimo de Nuno, ao menos naqueles poucos minutos de convivência. Nuno conseguiu falar de sua resignação diante do diagnóstico e até brincou quando Jerôme apontou para o livro e acusou-o de mentir, já que o exemplar não tinha mais de oitocentas páginas.

"Eu sei, espertalhão. Este é só o primeiro volume. *Dom Quixote* foi publicado em duas partes."

"Cervantes a esta altura. Você é heroico", elogiou Jerôme.

"O problema é que não acredito em reencarnação. Não vou conseguir ler o segundo volume."

Ligia apreciava os elegantes golpes de esgrima verbal entre os dois amigos e se manteve quieta. Jerôme quis saber mais sobre o estado de Nuno, tinha algum conhecimento sobre oncologia, embora não fosse sua especialidade, era um reumatologista aposentado. Conseguiu opinar sem soar melodramático. Estavam, novamente, os três, em sintonia.

Quando Nuno desacelerou a conversa e deu duas piscadas mais longas, demonstrando o cansaço já impossível de disfarçar, Ligia chamou a enfermeira e entregou o marido a seus cuidados. Ela iria dormir em casa, como há muitas noites não fazia.

O hospital não era tão longe do apartamento. Ligia e Jerôme saíram caminhando lado a lado, o sol ainda estava alto. Fazia seis anos que Ligia não ia a Paris, e já nem lembrava a última vez que havia ficado sozinha com Jerôme, de braços entrelaçados, como se não houvesse nada e ninguém ao redor. Tanto a dizer um ao outro, mas quase não falaram durante a travessia de ruas povoadas por habitantes alheios àquele homem e àquela mulher silenciosos. Passaram por uma fila de pessoas numa calçada, sem saber se elas estavam ali em busca de emprego ou de um ingresso para um show. Passaram por um casal de noivos que fotografavam numa praça, prematuramente vestidos para uma cerimônia que provavelmente aconteceria dias depois, e Ligia pensou que a sessão de fotos poderia dar azar, mas nada comentou. Passaram rente a um muro grafitado com desenhos coloridos, o que contrastava com a sobriedade do espírito de ambos. Atravessaram uma faixa de pedestre onde havia um malabarista se apresentando para os carros que aguardavam a troca de sinal. A vida chamava, mas os dois não escutavam, imersos que estavam num sentimento mútuo de reencontro e despedida. Ao passarem por um bar decadente, viram ao fundo uma mesa de bilhar. Entreolharam-se e, sem trocar palavra, deixaram-se atrair para dentro. Ligia puxou um taco acoplado à parede, enquanto Jerôme reunia, com o triângulo de madeira vazado, as bolas que estavam espalhadas sobre o feltro verde. Havia apenas um idoso como plateia, sentado em um banco encostado à porta do banheiro. Ligia deu a primeira tacada e nada aconteceu de empolgante, as bolas se dispersaram, retomando seu abandono. Jerôme também pegou um taco e sua jogada não alterou o quadro, as bolas pareciam saber que estavam sendo desperdiçadas pela ausência de energia daqueles dois seres fragilizados. Até que a segunda tacada de Ligia encaçapou uma bola, e eles deram o jogo por encerrado, saindo do recinto malcheiroso antes que o proprietário viesse cobrar os quatro minutos de tentativa de entretenimento daquele casal que destoava do ambiente. De novo na rua, seguiram caminhando até que Jerôme admitiu não ter mais disposição para a expedição urbana. Ligia apontou o prédio da esquina, haviam chegado. Deu a ele sua chave e as instruções de como entrar. Enquanto Jerôme atravessava a rua levando consigo sua mala de mão, Ligia adentrou com fome em um pequeno santuário que ela havia apelidado de *boulangerie*, a fim de emprestar algum charme à simples padaria.

Quinze minutos depois, Ligia entrava no prédio carregando duas sacolas com baguetes, queijos, frutas e a garrafa de um merlot razoável. Subiu pelo elevador e, ao aproximar-se do apartamento, percebeu que a porta estava apenas encostada. Talvez Jerôme tivesse resolvido tomar um banho e deixado a porta entreaberta para que Ligia pudesse entrar sem precisar bater a campainha, mas não era do feitio dele tanta precaução. Aproximou o ouvido, escutou vozes e sentiu-se invasora de sua própria casa. Empurrou a porta e entrou devagar.

Surpreendeu Rosaura vestindo uma blusa multicolorida que contrastava com os pesados móveis de mogno. Ela estava sentada em frente a Jerôme com uma animação de colegial. A mala de Jerôme permanecia fechada, encostada a um canto.

"*Pourriez-vous répéter?*", Ligia escutou Jerôme perguntar a Rosaura com o rosto franzido de quem não estava entendendo o português daquela estranha, nem o contexto da situação toda. Foi quando Rosaura percebeu a entrada de Ligia.

"Uma simpatia seu amigo, mas não fala português, estou dando uma forcinha."

Jerôme, como se tivesse sido flagrado em delito, abriu os braços para provar que não tinha culpa de nada, enquanto Ligia largava as sacolas da padaria em cima da mesa, ainda sem entender o que via à sua frente.

"Encontrei sua amiga no corredor e ela entrou comigo no apartamento", explicou ele em francês para Ligia.

"A gente está aqui num papo privê", disse Rosaura.

"*Privê*", repetiu Jerôme, como um índio sendo catequizado.

"Viu, ele aprende ligeirinho." Rosaura estava eufórica ao descobrir que tinha talento para ser professora de idiomas.

Jerôme aproveitou a chegada de Ligia para levantar-se e tratar de uma emergência que não podia mais ser adiada. "*Où est la toilette?*", perguntou a Ligia, perdido que estava naquele ambiente em que se encontrava pela primeira vez.

"Ué! O homem já fala ué. É um gênio esse gringo", comemorou Rosaura espalmando a mão na própria coxa.

"No corredor, a segunda porta", respondeu Ligia tentando organizar seus neurônios. Não chegou a cumprimentar Rosaura, já que havia interferido numa cena em andamento. Jogou-se na poltrona mais próxima, exausta. Se deu conta do quanto estava triste.

"Toalete. Essa palavra não fui eu que ensinei a ele, foi você?", perguntou Rosaura, que parecia decidida a nunca mais fechar a boca. Ligia teve a impressão de demorar quase um minuto antes de dizer alguma coisa e, com os olhos fixos no tapete, falou algo que não respondia à inquietação da sua vizinha.

"Jerôme veio se despedir de Nuno."

"Para onde Nuno vai?"

Ligia levantou os olhos como se fossem duas baionetas apontadas para a testa de Rosaura, que logo se deu conta de que o tom da conversa havia mudado. Ergueu-se e foi até as sacolas que Ligia tinha deixado sobre a mesa de jantar, enquanto desculpava-se. "Perdão, nunca vi um estrangeiro assim de perto. Quem sabe um chá? Preparo num segundo." Sem esperar que Ligia consentisse, desapareceu cozinha adentro levando as compras e deixando o cenário preparado para uma nova cena. Jerôme retornou à sala e sentou-se no sofá, deixando para Ligia a incumbência de falar primeiro.

"Você precisa ir embora tão rápido?" Depois do longo silêncio durante a caminhada do hospital até o apartamento, Ligia iniciava a conversa pelas questões práticas, bem a seu modo.

"Tenho que estar amanhã cedo na Argentina, preciso pegar o voo ainda esta noite. Desembarquei aqui apenas para vê-lo." Jerôme conhecia Ligia o suficiente para saber que ela gostaria de estar incluída no motivo. "Você ficará bem?"

"Não."

Olharam-se demoradamente. Jerôme levantou-se do sofá, pegou o pequeno mocho em que Rosaura estivera sentada minutos antes e o instalou bem em frente a Ligia, sentando-se tão próximo que os rostos quase se tocavam.

"Semana passada fui ver uma exposição fotográfica numa galeria do Marais. Chamava-se *La petite mort*."

Ligia não quis demonstrar sua surpresa com a mudança repentina de assunto e manteve o semblante inalterado, mas não conseguiu esconder a picardia no olhar. "Aqui chamamos de orgasmo. Menos poético", disse ela. O barulho que Rosaura fazia ao abrir e fechar os armários da cozinha, certamente buscando o lugar onde eram guardadas as xícaras, não desestimulou Jerôme a prosseguir no diálogo íntimo.

"Nuno te amou assim que colocou os olhos em você."

Ligia não reagiu, como se soubesse que faltava uma parte da frase.

"E eu também", complementou Jerôme, em tom grave e doce ao mesmo tempo.

Sorriram um para o outro, afetuosamente. O passado vinha juntar-se a ambos naquele momento presente e eterno. Mas o alívio de Ligia não era completo, Jerôme sabia que ela estava se torturando diante do fim iminente de Nuno.

"Não gostaria de resumir a vida dele de uma forma tão clichê, mas ele foi um homem feliz. Você o poupou de uma angústia desnecessária", disse Jerôme.

"Ainda tenho dúvida se foi certo esconder dele. Se eu quiser me redimir, o momento de contar seria agora."

Jerôme balançava a cabeça como quem introduzisse uma discordância, mas não teve tempo de argumentar. Rosaura retornou à sala com uma bandeja que apoiava duas xícaras de chá. Sua exuberância era como um trovão cortando o silêncio de duas almas.

"Escutei clichê? Já está usando palavrinha brasileira no meio das frases, danado ele." Largou a bandeja numa mesinha de apoio e estendeu a mão para Jerôme, num gesto de despedida. Assim que ele a tocou, acreditando tratar-se de um cumprimento formal, ela aproximou-se para dar dois beijos. "Preciso fazer o mapa astral de uma cliente, estou atrasada."

Jerôme, ainda não acostumado com tanta desenvoltura, respondeu com o habitual "*à bientôt*", no que Rosaura prontamente respondeu: "*Também tô?* Foi o que ele disse, Ligia? Escutei direito?". Foi como se Ligia despertasse de uma hipnose. Levantou-se num pulo e conduziu Rosaura até a porta, murmurando um "muito obrigada" com evidente esforço para soar de fato agradecida. Quando conseguiu fechar a porta atrás de si, suspirou fundo. Jerôme se levantou devagar e foi até ela. Estavam frente a frente, de novo.

"Você estava falando da exposição", disse Ligia ainda encostada à porta, como se estivesse encurralada, sem ter por onde escapar. Jerôme colocou as mãos dentro dos bolsos da calça, aparentando relaxamento. "Eram fotos de pessoas gozando. Suas expressões durante o clímax. Pra valer. Não eram simulações." Ligia manteve-se séria. Ele continuou: "Todas elas pareciam em um sofrimento atroz".

"Por que você está me contando isso? Está querendo me dizer que a morte tem essa mesma ambiguidade?"

"Tudo tem. O glorioso acaba. Por isso é glorioso."

Ligia impulsionou a cabeça para trás, lentamente, como se procurasse um rombo no teto. O queixo foi erguido para o alto, e se ela o inclinasse um pouco mais, o conjunto que se formaria com o pescoço teria o formato da cabeça de um pênis, efeito que Jerôme já havia visto em capas de livros e em fotos de revistas. Ficou perturbado. Ligia iniciou o retorno da cabeça com muito vagar. "Não sei como gozam as outras mulheres, mas eu nunca consegui ser discreta."

"Eu lembro", disse Jerôme.

O francês manteve os olhos grudados em Ligia, que sustentou o olhar por alguns segundos, porém uma coceira no nariz surgiu sem aviso e ela não conseguiu segurar o espirro, teve apenas o reflexo de virar o rosto para o lado, desviando o esguicho. Este epílogo cômico desamarrou a expressão de ambos. Que saudade da risada desconcertante de Jerôme, como ela conseguia viver longe daquele traste? Segurou a mão dele e o levou para o quarto.

14

A memória tem autonomia. Ligia lembrava flashes do tempo em que vivera em Paris, mas não tinha certeza se haviam acontecido daquele jeito mesmo. Percebera quando o jovem alto e magro saiu do cinema acompanhado por um francês. Por estar muito perto deles, reparara no sotaque e logo se dera conta de que era brasileiro. Sozinha na cidade, sem ter feito amigos, deixou-se levar pelo impulso e apresentou-se à dupla de rapazes com a falta de cerimônia comum aos estrangeiros impacientes para se relacionar com alguém. Não se surpreendeu por ter acertado – Nuno era seu nome, brasileiro de fato, mas o que Ligia não imaginava é que haviam nascido na mesma cidade. O convite para um copo de vinho veio naturalmente e, naquela mesma noite, num bistrô semelhante a tantos outros na França, iniciava-se uma amizade fora do padrão.

Ligia seduziu a ambos com sua conversa ácida e inteligente, e os comentários que fez sobre *Jules e Jim*, de Truffaut, que haviam assistido horas antes numa mostra dedicada ao diretor, deixou claro aos rapazes que eles estavam diante de uma garota que tornava a personagem de Jeanne Moreau bastante verossímil. Os dois amigos entraram em conferência assim que Ligia, durante o terceiro cálice, se levantou para ir ao banheiro. Nuno argumentou de forma tosca que, por ela e ele serem conterrâneos, a preferência era dele, a não ser que Ligia demonstrasse um encantamento explícito pelo francês. Estavam embriagados por várias taças de bordeaux, e quando Ligia retornou perguntando do que riam tanto, nenhum deles conseguiu responder; e não foi preciso, ela podia perfeitamente intuir. Quatro dias depois era a namorada oficial de Nuno e, pouco tempo após, amante de Jerôme.

Ambos estavam encantados por aquela baixinha que a eles parecia atrevida de nascença, sem suspeitar que, antes de aterrissar em Paris, Ligia fora estimulada a manter sempre a boca cerzida e os sentimentos reprimidos. E assim permaneceu até os vinte anos, um tanto por influência familiar, outro tanto por não ter com quem trocar ideias sobre independência, liberdade e tudo o que lhe provocava uma agitação nervosa, enquanto as meninas da sua idade, na escola, ainda sonhavam em casar e ter filhos. A simples menção da palavra enxoval fazia Ligia desembarcar da conversa e refugiar-se no subterrâneo dos seus interesses secretos.

Nuno trabalhava no mesmo hotel em que Jerôme vivia. Cuidava do jardim na parte da manhã para ocupar suas horas livres e aperfeiçoar o idioma por meio do contato com outros funcionários, além de ganhar um dinheiro extra para complementar a mesada dos pais. Mas apaixonou-se por Ligia e largou o emprego a fim de ter mais tempo para estudar ao lado da namorada no *chambre de bonne* que alugava num bairro ao norte do centro. O convívio deu a eles uma intimidade instantânea. Quase todas as noites Ligia dormia com ele em vez de retornar para o quarto que dividia com uma senegalesa na periferia da cidade. Jerôme, diferentemente, estava se preparando para ser médico e dedicava-se aos estudos sem descanso. Saíam juntos quando possível, os três, mas o jovem provençal tinha dificuldade para acompanhar o ritmo dos brasileiros. Ainda assim, havia no ar a concordância nunca verbalizada de que Ligia era amada da mesma forma pelos dois amigos e que o sentimento que os unia estava acima de qualquer convenção – naquele início dos anos 70, a ausência de rigor parecia a única saída para uma experiência de vida mais autêntica. Na primeira vez que Ligia foi visitar Jerôme no hotel sem a companhia de Nuno, houve certo desconforto, mas os dois homens sabiam que o primeiro que exigisse exclusividade daquela garota tomada por ideais feministas e revolucionários cavaria sua própria rejeição, e nem Nuno nem

Jerôme sentiam tanto ciúme a ponto de provocarem uma guerra e perderem, de uma só vez, a companhia dela e a amizade viril que os unia. Sem entrarem em detalhes sobre o que acontecia quando um ou outro não estava presente, foram adiante nesta formatação que de certa forma orgulhava os três jovens.

15

Nuno havia piorado muito. Ligado a uma sonda e por diversos outros fios conectados a aparelhos, habitava o corpo que resta quando se desiste de lutar. Ligia estava sentada a seu lado, numa poltrona, lendo o mesmo livro desde que ele fora internado, sem conseguir avançar um único capítulo, era apenas um objeto para ocupar as mãos enquanto se faz a leitura da memória, da vida que se levou até aquele instante de iminente ruptura. Preparava-se para uma nova etapa que ainda não havia começado e, simultaneamente, para um desfecho ainda não concluído. Mal percebeu a entrada de Alex no quarto, que naqueles dias transformara-se num garoto de passos leves e gestos contidos. Recebeu um beijo na testa. Sorriram um para o outro com a cumplicidade dos que dividem a mesma dor.

"Na mesma?", ele perguntou a Ligia, olhando para o avô.

"O médico passou por aqui e não achou ele bem. Não está reagindo."

Juntando o dedo indicador ao polegar, Alex fechou as próprias narinas uma, duas, três vezes, como se fosse um tique nervoso. Tentou dar naturalidade à informação que trazia. "A mãe está ali fora."

A atmosfera ficou instantaneamente mais pesada, ouvia-se a respiração arrítmica de Ligia, que parecia ter sido atacada em sua aparente paz. Levantou-se e deixou cair o livro no chão. Juntou-o e o jogou na poltrona, e o quarto pareceu pequeno demais para sua ansiedade. "Bobagem ela vir. Não pode fazer nada. Ninguém pode. Mande-a aguardar notícias em casa", disse, irritada.

"Faz ela entrar, Alex."

A voz decidida de Nuno foi uma intervenção inesperada. Desconcertou Ligia, que acreditava que o marido estivesse dormindo. Ele continuava de olhos fechados. Ligia aproximou-se da cama e tentou falar de um modo delicado, o que exigia um esforço extra de sua parte. "Meu amor, você precisa descansar."

Nuno abriu os olhos como se tivesse percebido que sua voz não daria autoridade suficiente ao pedido. Não era um moribundo delirante. O olhar não deixaria dúvida sobre sua vontade. Fitou Alex e repetiu.

"Faz ela entrar."

Depois de uma vida inteira contemporizando, muitas vezes se acomodando na neutralidade para não promover discussões acaloradas, Nuno assumia um papel novo numa relação conjugal prestes a se desfazer. Era quase uma traição. Ligia respirou fundo, pegou sua bolsa e saiu do quarto sem olhar para ninguém e sem dizer nada.

No corredor azulejado e frio do hospital, percebeu a presença de pessoas sentadas em bancos encostados à parede e de enfermeiras transitando no local. Empenhou-se para não fazer contato visual com ninguém. Não planejou para onde a levariam seus passos. A ideia era fugir, apenas, e os fugitivos não têm muito tempo para pensar. Agarrou sua bolsa como quem se abraça a um escudo e caminhou ligeiro para longe – a distância era seu único objetivo. Chantal assistiu à cena na primeira fila, sentada no banco que estava bem em frente ao quarto, e não aplaudiu porque hospitais exigem silêncio. Levantou-se calmamente, deu duas batidinhas à porta e entrou sem aguardar consentimento. A saída dramática da mãe era sua deixa.

Por um frame de segundo, achou que tinha entrado no quarto errado. Aquele homem abatido, envelhecido e abandonado pela energia vital não parecia seu pai. Não se parecia com ninguém que ela tivesse conhecido. Se deu conta do longo tempo que não se viam e caiu na armadilha de lamentar os adiamentos que, de uma hora para outra, deixam de ter explicação. Alex deu um passo para trás, como quem sabe que a cena era de dois protagonistas apenas. E, por fim, saiu do quarto, à procura da avó.

"Queria ter vindo antes", sussurrou Chantal, já arrependida de iniciar a conversa com uma frase tão banal. Nuno tampouco estava apto para embates mais profundos – o que havia de emoção naqueles minutos já era profundo o suficiente. Olhou para Chantal de cima a baixo, reparou na sobriedade da calça e da blusa, no cabelo preso e na maquiagem leve, contrastando com a exuberância que costumava ser sua marca registrada. Ela havia tomado cuidado para não chocar. E não chocava. Nuno estendeu a mão e Chantal a segurou, trêmula.

"Você está mais magro", disse Nuno com dificuldade.

"Magra", respondeu Chantal também com dificuldade, mas era uma dificuldade de outra ordem. Não lhe faltava voz ou saúde, mas sobrava consciência. Não podia aliviar nem por um segundo, a luta por sua integridade moral precisava ser constante.

"Magra", assentiu Nuno, e com essa simples palavra deixou o passado em um lugar remoto daquele ambiente, como se nunca tivesse existido um passado, como se todos tivessem sempre sido o que estavam sendo. Nuno voltou a fechar os olhos, e Chantal sentiu uma vontade avassaladora de chorar, mas conseguiu dominar a convulsão de seus sentimentos. Como se precisasse arrematar, Nuno ainda teve força para mais uma palavra.

"Filha."

Chantal aproximou a outra mão, e com as duas envolveu a palma e o dorso da mão do pai, protegendo-o da culpa que talvez ele sentisse por ter permitido o afastamento imposto por Ligia. As mãos másculas com as unhas pintadas agarravam uma história contada aos tropeços, vivida em desacordo, e que agora, em um momento tão extremo, guardava o fundamental: o amor que não precisa ser verbalizado; a percepção da inteireza do sentimento era suficiente. O corpo de Nuno parecia ainda mais frágil e mais afundado no lençol, como se ele e a cama estivessem se tornado a mesma coisa. Os ruídos sonoros dos aparelhos de controle pareciam aumentar de volume à medida que o silêncio se amplificava no quarto. Transcorreu quase meia hora sem que ninguém voltasse a pronunciar frase alguma, ele por esgotamento, ela por compreender que nada influiria tanto na potência da sua afeição quanto sua presença, apenas sua presença. Ainda assim, berrava, inaudível, toda a dor represada, esvaziava-se a cada suspiro, para que ficasse mais fácil perdoar a rejeição sofrida.

Debruçada sobre reflexões antigas e palpitações novas, que pareciam estar sob uma contagem regressiva e rápida demais, Chantal sentiu o ambiente mais denso, sufocante, e começou a se sentir excessiva, precisava se retirar.

"Talvez eu deva ir embora", ela disse, procurando ser atenciosa.

Foi surpreendida pela resposta do pai, quase inaudível.

"Fica", ele disse. "Eu vou."

16

Se alguém um dia tivesse pedido a Ligia que revelasse sua fórmula de felicidade, ela reprimiria o impulso de esnobar a pergunta simplória e daria uma resposta sucinta: evitar aborrecimentos. Se a rotina familiar lhe parecia detestável quando criança, simples: fugiria para outra cidade assim que crescesse. As colegas da escola eram indigestas? Não cultivaria amizades duradouras, não pretendia se responsabilizar por aquelas que viesse a cativar. Vida social? Mínima. Não precisava mais do que três ou quatro relações sinceras.

Porém, a ideia da morte era um aborrecimento de maior envergadura, e não bastaria um drible para tirá-la do caminho, a danada continuaria assoprando pragas em seu ouvido. Desde cedo, Ligia reconhecia sua onipresença. A morte inspirava filmes e livros, os jornais só falavam nela, e a cada acidente de trânsito testemunhado na rua, seu nome saltava: morte! Alguém lavando as vidraças num andar alto, morte. Uma falta de ar no meio da tarde, morte. Uma epidemia na Ásia que ameaçasse se espalhar, morte. Nunca haveria uma rota de fuga, então, em vez de se desesperar e procurar consolo em alguma religião, a solução que lhe pareceu mais inteligente foi aderir à inimiga. Que ela viesse quando chegasse o momento. Encontraria a porta destrancada e Ligia apaziguada por ter vivido de acordo com sua devoção ao que lhe dava prazer. O único problema da morte, no fim das contas, era a falta de educação. Não comunicava com antecedência o horário de sua visita.

Esse acordo secreto poderia vir a funcionar para Ligia, mas só para ela. Não previu que seria bem diferente quando a morte batesse à porta das pessoas que amava. Ligia demorou para entender que a adaptação a uma ausência irrevogável não obedeceria às suas diretrizes internas, e, inocentemente, chegou a acreditar que, agora, seu único desafio seria restaurar a rotina sem a presença de Nuno, ignorando as cobranças que a morte emite. No início até que a sua ilusão foi camarada. O máximo de dificuldade era a caminhada solitária na beira da praia, assistir a um filme na tevê sem ter com quem comentá-lo, ocupar uma cama onde sempre couberam dois. Mas logo a dor se aprofundou. Não conseguia livrar-se da perplexidade: seu marido não estava mais em lugar nenhum, nunca mais seria visto. Era um estado permanente de pavor, que foi quebrado uma única vez por um raro e brevíssimo momento de distração, quando a morte de Nuno não ocupou seus pensamentos e ela surpreendeu-se colocando a mesa do jantar com dois pratos. Descobriu que imaginá-lo vivo era ainda mais doloroso do que aceitar que ele não estava mais ali.

Os dias corriam cinzentos e silenciosos. Durante uma semana inteira não falou com ninguém, não ouviu o som da própria voz. A solução foi recorrer ao computador para desabafar com Jerôme, que já havia deixado Buenos Aires e que sofria a perda do amigo em sua deslumbrante Paris, cenário de um passado que acolhia tantas lembranças e que a Ligia parecia ainda mais longínquo. Ela se perguntava se compensaria continuar acordando pela manhã para cumprir sua trajetória isolada num mundo em que ela não via a menor graça. Pessoas mergulhadas em superficialidade, consumindo arte de péssima qualidade, obcecadas por uma tecnologia que parecia sugar a capacidade de reflexão e que se dedicavam a conversas chatas com o intuito de socializar por socializar, talvez uma tática inconsciente para evitar interagir com a própria excepcionalidade. Nuno não apenas havia morrido, mas abandonado Ligia num lugar habitado por gente com quem ela não tinha um pingo de afinidade e com quem seria um suplício trocar duas palavras que fossem.

Quando a campainha tocou, Ligia lembrou a única razão pela qual ainda valia a pena desistir dos pensamentos suicidas que começavam a assombrá-la em suas noites insones. Abriu a porta e deixou-se abraçar por Alex como se não fosse ele a visitar a avó na casa de praia, mas ela a retornar para um estado de pertencimento que, sabia, dali para frente seria cada vez mais raro. Uniu-se ao corpo adolescente do neto por longos segundos, de olhos fechados para impedir a intromissão de qualquer interferência externa, mas, ao abri-los, foi lembrada de que não compete à vida obedecer a nossos desejos. Percebeu, por trás do ombro do neto, Chantal aguardando na calçada.

Juliana viera naquele sábado para fazer uma faxina mais minuciosa – a casa ainda não estava limpa o suficiente depois de ficar tantas semanas fechada durante a ausência de seus donos. Mesmo sem a solicitação de Ligia, Juliana levou duas xícaras de café até a sala, satisfeita por finalmente haver uma convidada para motivar a abertura total das janelas e o uso de uma louça bonita que quase nunca saía do armário. Ao deixar a bandeja na mesinha de centro, deu uma espiada naquela mulher vistosa que sabia ser mãe de Alex. Desconhecia o motivo de ela não conviver com a família. No entanto, não precisou de uma análise muito demorada para entender que Chantal não cabia em classificações tradicionais e surpreendeu-se de que Ligia, de cima de seu pedestal, cultivasse preconceitos tão fora de moda. A simpatia de Juliana foi imediata por aquela mulher de traços fortes e que acabara de deixar seu batom vermelho na borda da xícara como marca de uma visita que se prenunciava intensa.

Alex rumou para seu quarto a fim de deixar as duas à vontade. Depois do primeiro gole de café, Chantal começou a caminhar pela sala. Observou a lombada de alguns livros e passou em inspeção todos os porta-retratos que estavam alinhados sobre um aparador. Segurou aquele em que havia uma foto de Alex aos dez anos, ainda com um ar infantil.

"Eu era igualzinha a ele nesta idade." Devolveu o porta-retratos ao seu lugar e deu mais uma olhada panorâmica no ambiente. "Nada mudou."

Ligia procurou se conter, mas as sobrancelhas se ergueram, denunciando a discordância diante do que acabara de escutar. Analisou o vestido muito justo que Chantal vestia, de um verde pronunciado, e o salto de uma sandália robusta que contrastava com o mocassim discreto que Ligia não tirava dos pés havia pelo menos quatro anos. Mudança era tudo o que se via ali, na avaliação de Ligia. Chantal percebeu que não havia clima para digressões e sentou-se à frente da mãe.

"Não sinto nenhum prazer em agredir você com minha presença. Mas ele era meu pai. Eu tinha que ir até lá." Ligia manteve-se em silêncio. "Faz tanto tempo que você me evita que virou uma estranha", disse Chantal.

"A estranha aqui é você", respondeu Ligia sem disfarçar seu olhar investigativo para as pulseiras, os brincos e demais acessórios daquela visita que destoava da simplicidade de Torre Azul. Mas procurou afastar-se do campo minado das acusações, preferiu tirar a dúvida que a atormentava desde aquele último dia no hospital, quando abandonou o quarto do marido sem olhar para trás.

"O que foi que ele falou? Disse alguma coisa antes de morrer? Me chamou?" Não queria parecer tão vulnerável, mas talvez não houvesse outra oportunidade de perguntar.

"Falou quase nada. O suficiente."

Sem nenhuma doçura e invocada pela resposta que não era a esperada, Ligia desistiu de ser diplomática e de fugir do enfrentamento.

"É injusto não ter sido eu a última a ver Nuno com vida."

"Você continua fazendo um esforço danado para se sentir infeliz", contra-atacou Chantal. "Ele me chamou de filha. Você nunca vai conseguir, não é?", continuou.

"Se você já não é meu filho, e nunca foi minha filha, é o quê?"

"Eu esperava mais de uma ex-estudante da Sorbonne."

Ligia levantou-se sem saber para onde levar o próprio corpo. Ficou em pé, abraçou a própria cintura, depois passou as mãos pelo cabelo e deu uma risada contida antes de voltar a falar. "Que ironia. Eu sou uma tradutora, no entanto, você continua indecifrável para mim. Indecifrável."

"O que te perturba tanto? Eu parecer mais mulher do que você?"

Ligia recebia cada acusação como se estivesse em luta corporal. Cada golpe era inesperado e a deixava mais frágil. Não conseguia interromper a rapidez com que Chantal despejava sua mágoa. "Você me envergonha", escutou da filha.

"Eu? *Eu* envergonho você? Essa é boa." Ligia girava pela sala feito um pião, não estava acostumada a ser enfrentada. Chantal, por sua vez, desfrutava o desassossego da mãe. Falou calmamente. "Você se isolou com a desculpa de que as outras pessoas não têm cultura, nem bom gosto, então por que se preocupa com o que elas pensam?"

Ligia respondeu num tom mais alto do que a resposta pedia, curvando o corpo em direção a Chantal, que se mantinha sentada. "Me isolei porque não tinha outra saída!"

"Que mal eu te fiz?" Uma pergunta direta que só agora, aos 36 anos de idade, Chantal se atrevia a pronunciar.

"Você não me deixa esquecer", respondeu Ligia, dessa vez com um fiapo de voz escapando entre os dentes.

E então controlou-se. Não era momento de desembrulhar o passado ali no meio da sala sem antes ensaiar bem as palavras. Naturalmente, esse dia chegaria, mas a dor da perda de Nuno precisava ser diluída antes de aventurar-se em um acerto de contas que dispararia estilhaços por todos os lados. Uma coisa de cada vez. Primeiro, sofrer por Nuno, sofrer pela nova condição, sofrer o medo de uma realidade que ela intuía estar despreparada para enfrentar. Mas Chantal não estava disposta a perder a viagem.

"Fala."

Ligia sentiu uma inesperada fraqueza, por um instante duvidou que poderia prosseguir com o embate, mas continuou. "Eu nunca quis uma menina", conseguiu dizer sem olhar para Chantal.

"Você nunca quis uma concorrente. Sempre foi possessiva em todas as suas relações. Jerôme ou Nuno? Escolher para que, se podia ter os dois?"

Foi o que bastou para Ligia retornar à arena feito um bicho atacado, mas não vencido. Voltou a caminhar pela sala como se circundasse uma jaula. Enquanto isso, Chantal aparentava tranquilidade, como se soubesse que era hora de prestigiar a dona da casa. Pegou um biscoito que Juliana havia deixado ao lado das xícaras de café e mastigou-o com a insolência de quem se sente à vontade durante um tsunami. Ligia aproximou-se e olhou com raiva para Chantal.

"Só falta dizer que a culpa de você ter se tornado isso aí é minha", disse, levantando o queixo, com presunção sem ocultar seu desprezo.

"*Isso aqui* não é culpa de ninguém. Se você sente culpa de alguma coisa, que não seja por mim. Eu ainda era o Carlos, o Carlinhos, e já sabia que não era um menino. Queria ser como minha mãe. Poderosa, livre."

"Mulher", completou Ligia.

"Pois é. Consegui ser mais mulher do que você."

Ligia apanhava e continuava fingindo que não doía. "Não é preciso tanta maquiagem pra ser uma", desdenhou.

"Você é que quer se tornar invisível, não eu."

Esgotada, Ligia sentou-se ao lado de Chantal. Dividiram, ambas, uma breve quietude. Quando Ligia olhou novamente para o rosto daquela pessoa exuberante, percebeu que em volta de sua boca havia alguns farelos de biscoito. Pegou um guardanapo de papel que estava sob a bandeja e alcançou para ela, que não entendeu o motivo da oferta e não se mexeu. Em vez de alertar sobre os farelos, Ligia simplesmente aproximou o papel do rosto de Chantal e começou ela mesma a limpá-la. Chantal relutou de início, demonstrando o desconforto da situação, mas cedeu àquela cena amorosa que acontecia com muito atraso. Não era mais criança, mas seria grosseria recusar um carinho que nunca foi habitual por parte de sua mãe.

Porém, os nervos de Ligia não estavam sob controle, e depois de limpar os farelos, o carinho virou higienização forçada – Ligia começou a esfregar o guardanapo nos lábios da filha, numa tentativa patética de retirar o seu batom.

"Para com isso, não seja ridícula!", disse Chantal afastando o braço de Ligia, que levantou do sofá alterada. Foi até o aparador e começou a derrubar um a um os porta-retratos. Não queria mais enxergar seu patrimônio fotográfico, sua história de vida no rosto das pessoas que amava, ou deveria amar.

"O que deu em você?", perguntou Chantal, perplexa.

"Diz logo o que você veio fazer aqui e acaba de uma vez com essa tortura", gritou Ligia perdendo a calma.

"Vou iniciar uma turnê pela Europa, embarco para Paris daqui a um mês." Mais uma fincada no peito. Ligia era um touro sendo lentamente derrotado.

"Paris!" Tentou simular uma risada. "O mundo gira, de fato!"

"*Oui, maman*, Paris. Só que não dá para levar o Alex."

"Ele não pode morar aqui na praia." Ligia voltava a si.

"Nem você. Vai morrer se ficar aqui sozinha."

Ligia aproximou-se da janela. Não enxergava o mar, mas sabia que ele estava logo ali em frente, podia sentir sua presença majestosa e ameaçadora, o mar de ondas irregulares, o mar ao qual, nos últimos dias, ela imaginava entregando-se sem resistência a fim de ser engolida e por fim desaparecer. Ficar longe dele seria negar o sedutor convite para um sumiço oceânico e definitivo.

"Volta para a cidade e toma conta do Alex enquanto eu estiver fora. Ele não pode interromper os estudos. Está virando um homem", pediu Chantal com educação. Mas aquela não era apenas uma visita amistosa e uma conversa íntima – era também um duelo de forças, e Chantal não resistiu. Deferiu o último golpe. "Ele precisa de uma referência masculina."

17

Quando as vozes na sala começaram a ficar inaudíveis, assinalando o final do embate, Juliana, ligeira, passou um pano seco na bancada da cozinha e se apressou a trocar de roupa, não queria perder a oportunidade de pegar uma carona com aquela mulher atraente, que fosse originalmente um homem, como deduziu de algumas partes gritadas da conversa, não fazia a menor diferença. Vestiu seu short jeans, uma camiseta estampada com glitter e sua jaqueta preferida, a vermelha – não que tivesse muitas. Correu a tempo de juntar-se às visitas que já estavam na calçada, quase entrando no carro para voltarem à cidade. Chantal não só aceitou levar Juliana até a oficina do namorado, na margem da rodovia, como a convidou para sentar-se no banco da frente, a seu lado. Precisava distrair-se com um bate-papo ameno e aliviar a tensão do encontro com a mãe. Não tinha o costume de brigar, dificilmente se deixava atingir por reveses externos. Aprendera a se manter tranquila, principalmente diante de provocações, pois sabia que teria que conviver com elas para sempre e um pouco mais. No entanto, ficava abalada diante de explosões coléricas, e, nessas horas em que a alma custava a se recompor, qualquer auxílio se tornava bem-vindo.

Alex acomodou-se no banco traseiro na companhia insubstituível de seu smartphone e colocou os fones para ouvir o próprio som, não era fã da playlist que a mãe colocava pra tocar no seu Spotify. Juliana era mais versátil. Ao reconhecer sua música preferida tocando no carro, deixou a cerimônia de lado: "aaaaamo", disse, esticando as vogais, enquanto aumentava o volume para entregar-se ao ritmo dançante de Beyoncé. Chantal gostou da espontaneidade da garota, que cantarolava o refrão em voz alta, num inglês, digamos, criativo. Não demorou para Juliana reduzir o volume. "Não que eu fique escutando atrás da porta", defendeu-se, "mas você é cantora mesmo?"

"Já fiz muito cover da Beyoncé", respondeu Chantal com orgulho, sem tirar as mãos do volante.

"Divas! É o meu sonho, sabia?", disse Juliana olhando para fora, para um futuro a perder de vista, através da janela do carro. "Canto toda sexta-feira no karaokê do Galpão, um bar por aqui. O pessoal até que gosta da minha voz. Mais que isso, seria querer demais", concluiu.

"Ué, tenta", estimulou Chantal. "O primeiro passo é sair da praia e ir morar na cidade. Gruda na tua patroa."

"Não sei. Sou noiva", respondeu Juliana como se estivesse condenada a trabalhos forçados.

"O bofe espera. A vida não espera", sentenciou Chantal com o enlevo de quem havia acabado de oferecer uma pílula de sabedoria, e neste segundo de distração quase perdeu o reflexo de frear. Um veículo em alta velocidade cortara a frente do carro em que estavam e foi por um triz que uma colisão violenta não se deu. A freada inesperada fez o motor apagar e assustou Alex e Juliana, mas o que os surpreendeu mesmo foi a reação de Chantal, que, por causa do susto, abriu o vidro e esbravejou feito um atacante de time de várzea.

"Caralho!! Comprou a carteira onde, viado?!", gritou com voz grossa e furiosa.

Depois, respirou fundo, ajeitou o cabelo no espelho retrovisor e voltou a dar partida no carro, com absoluta serenidade, como se nada inusual tivesse acontecido. Alex e Juliana não abriram a boca. Mesmo assim, Chantal respondeu ao que não lhe foi perguntado.

"TPM, gente."

18

A visita de Chantal colocou Ligia em movimento. Por dentro, suas emoções contraditórias bailavam: a vontade de ficar, a vontade de ir embora, a dor da perda, o prazer do silêncio, o reencontro consigo mesma agora que ficaria permanentemente sozinha. Estava agitada, precisava fazer alguma coisa de ordem prática, e separar as roupas de Nuno para doação pareceu uma faxina curativa – as coisas têm que sair, ir embora, ser úteis. Bastaria a ela ficar com as lembranças.

Abriu o armário e começou a colocar as calças dele em cima da cama, não eram muitas. Nuno gostava de usar bermudas e alguns poucos abrigos esportivos, mesmo nunca tendo sido um atleta. Separou as camisetas, camisas e pulôveres que encontrou. Poucos. Seu marido não acumulava roupas, sintoma de uma alma enxuta, que se satisfazia com o básico. Ligia não tinha casado com ele à toa, se aqueciam com suas conversas, com seu repertório de filmes e livros, e com as tantas garrafas de vinho que, vazias, se acumulavam no pátio interno da casa.

Reparou no blazer adquirido para os momentos solenes que raramente aconteceram. Ligia o retirou do cabide e o vestiu. As mangas sobravam, como quando ela usava o uniforme escolar da irmã mais velha, inspirando piadas infames das coleguinhas de classe. Ligia nunca coube em nada.

Continuou agasalhada pelo blazer, a temperatura havia caído e a casa estaria completamente às escuras, não fosse pelo abajur do quarto e sua luz amarelada. Esvaziando as gavetas, encontrou uma fita VHS em meio a algumas camisetas de dormir. Não era uma mulher moderna no que se convencionou como moderno – apetrechos tecnológicos, cultura pop etc. –, mas até para ela uma fita VHS parecia um fóssil. Mais tarde iria conferir seu conteúdo, ainda tinha um aparelho de videocassete. Tirou todas as roupas para fora, não sobrou nada dentro do armário.

Não foi fácil acomodar as peças dentro de duas malas de tamanho médio. Nuno era um homem alto e calçava 44. Mesmo tendo apenas dois tênis, dois chinelos e um par de sapatos de couro, eram suficientes para ocupar um bocado de espaço. Ligia conseguiu levar tudo para a sala, mas já se arrependia de ter iniciado essa extrema-unção material sem contar com a ajuda de Juliana. A segunda mala ainda não estava fechada. Despiu o blazer de Nuno e o dobrou de qualquer jeito, colocando-o sobre as outras roupas já acomodadas. A mala estava muito cheia. Sentou-se sobre ela a fim de deslizar o zíper, que não se mexia.

"Droga."

Quase arrebentou-o com sua insistência. A irritação e a dor que sentia não tinham mais nada a ver com aquele zíper emperrado.

"Droga, droga, droga!"

Foi até o banheiro, lavou o rosto e as lágrimas, e voltou ao quarto para pegar a fita VHS jogada em cima da cama. O aparelho de videocassete estava escondido entre outros dispositivos eletrônicos amontoados no vão inferior do móvel que sustentava a tevê. Empoeirado e com uma peça solta que fazia um barulhinho irritante, só seria dado como morto se não reagisse aos comandos que Ligia, agora, rezava para que funcionassem. Funcionaram.

Ligia sentou-se no sofá, ao lado da mala que não fechava. E assim que as imagens começaram a ser decodificadas, sentiu-se como que em um transe hipnótico. Nem desconfiava que aquela parte do seu passado houvesse sobrevivido tantos anos no fundo de uma gaveta.

Não tinha certeza se as cenas estavam com o colorido desbotado ou eram em preto e branco mesmo. Aquele menininho deveria ter uns seis anos, talvez nem isso. Quem havia filmado? Ligia lembrou que Nuno já tivera uma câmera, e a memória foi retornando aos poucos. Alguns dias depois de um Natal, era verão, a filmadora havia sido um presente que ele dera a si mesmo. E ali estavam as imagens captadas em alguma tarde de diversão. Um menino brincando com a caixa de bijuterias da mãe, ele pega um colar de pérolas, tenta prendê-lo atrás do pescoço, não consegue, devolve o colar para a caixa. Seu garoto. Carlinhos. Delicado, sorridente, vestindo uma camiseta e um shorts. Onde estariam seus amigos, onde estariam seus brinquedos? O menino pega uma peruca, coloca sobre a cabeça, ri muito para a câmera, faz um trejeito afetado, e então alguém retira com rapidez a peruca da cabeça dele, o menino segue brincando. "Será que fui eu?", Ligia se pergunta. "Seria minha aquela mão ligeira interrompendo a fantasia do filho? Ainda é você, Ligia, tentando impedir que as coisas fujam do seu controle?"

 Ligia desligou o videocassete com a decisão tomada sobre quais deveriam ser seus próximos passos. Foi dormir com a lista de incumbências para o dia seguinte. Doar as roupas de Nuno para uma entidade beneficente. Cobrir os móveis com lençóis. Voltar para a capital por tempo indeterminado.

19

Às vezes eles conseguiam esquecer da existência de Alex pelo período inteiro da aula e até parecia que o dia transcorreria sem nenhum sobressalto. Mas nunca às segundas-feiras. Depois de dois dias de descanso, a segunda-feira provocava uma saudade maquiavélica nos colegas – era quando mais atazanavam.

Alex já havia percebido o clima inamistoso. Escutou uma piadinha cretina durante um dos intervalos e não estava disposto a dar oportunidade para outras, por isso, quando o sinal bateu encerrando o último período, reuniu rapidamente seu material e saiu da sala antes de todos, mas ao atravessar o pátio, quase alcançando a calçada, sentiu o bafo dos animais atrás da sua nuca.

"Foi ao futebol com seu pai ontem?", um dos garotos perguntou. "Ah, esqueci que você não tem pai, tem duas mães", emendou, fazendo uma careta de desdém. Alex continuou caminhando como se fossem apenas moscas em volta da sua cabeça, mas os garotos não toleravam a soberba como resposta. Eram três. Postaram-se em frente a ele, interrompendo sua passagem. "Por que sua mãe não vem buscar você?"

"Deve ter fugido com o circo", respondeu o mais franzino, que só tinha coragem de ser desaforado quando estava protegido pela quadrilha. Era um palmo mais baixo e tentou segurar Alex pelo braço, que se desvencilhou dele com facilidade, quase acertando um safanão naquele rato, mas sabia que não teria chance contra três. O segurança do colégio estava de sentinela do lado de fora do portão, de costas para o pátio, observando o fluxo do trânsito. Nenhum adulto estava prestando atenção no que acontecia, e Alex não daria o gostinho de pedir ajuda. Ainda tentou driblar o garoto estancado à sua frente que tinha a empáfia natural dos covardes, mas, ao deslocar o corpo para a esquerda para seguir seu rumo, o garoto esticou o pé e Alex tropeçou. Ao tentar amparar o corpo com o braço, acabou deixando escapar um caderno que caiu aberto no chão e, vencido pelo próprio peso, ralou a testa no paralelepípedo e machucou o supercílio. Ainda viu quando um dos garotos pisou de propósito na página aberta do caderno, sujando-a com seu tênis podre. Enquanto os três imbecis desapareciam portão afora, quase correndo para fugir dali, Alex passou o dedo no corte para averiguar se havia sangue. Neste instante, foi surpreendido por

uma voz desconhecida. "Esses garotos não crescem."
À sua frente, dois pés com unhas pintadas de vermelho enfiados num chinelo de dedo. Levantou o pescoço, mas na posição que estava só conseguiu enxergar as pernas. Longas. Sentou-se, olhou para cima. Não conhecia a garota. Ergueu-se devagar, sem saber ao certo se gostaria que ela continuasse parada ali. Deu uma espanada no jeans. "São uns idiotas." Não conseguia encará-la. Percebeu que estava envergonhado.

"Sou a Tina." Ela esperou dois segundos até continuar. "Martina. Você é amigo do Matias, não é?"

"Você também mora na praia?", Alex perguntou.

"Os pais dele de vez em quando convidam a minha família para passar os fins de semana em Torre Azul. A gente é primo."

Ela é muito gata. Ela deve ter uns dezessete. Ela não deve ser virgem. Ela não está usando sutiã. Os pensamentos de Alex eram uma maçaroca. "A gente?"

"Eu e o Matias", esclareceu Tina, e se abaixou para pegar o caderno, que ainda estava no chão. "Tá doendo?", perguntou enquanto entregava o caderno na mão dele. "Doendo?" Acorda, seu demente. "Ah. Não, não", disse Alex, apontando para o próprio machucado. "Besteira."

Quando ela sorriu e se virou para ir embora, Alex estava tão embasbacado pelo fato de ter sido paquerado por uma garota mais velha que nem lembrava mais o seu nome. O nome *dele*. Meteu a mão no bolso para ver se o celular tinha resistido à queda e viu que ainda funcionava. Aproveitou para ligar pra Ligia, a avó poderia estar precisando de alguma ajuda, agora que tinha vindo em definitivo para Porto Alegre, e quem sabe ele conseguiria filar um almoço decente. Os acontecimentos da manhã o deixaram com fome de comida de verdade, já não aguentava os congelados dietéticos de Chantal.

Chegando ao apartamento de Ligia, largou a mochila no sofá e foi direto lavar as mãos. A mesa posta indicava um lar em pleno funcionamento e o cheiro da lasanha que vinha da cozinha deu a Alex, pela primeira vez, saudade da infância, como se só agora ele conseguisse distinguir que havia saltado uma etapa da vida. Saiu do banheiro, foi até a cozinha, abriu a geladeira e trouxe para a mesa uma garrafa d'água, enquanto Ligia colocava a travessa fumegante entre os dois.

"Quando é que a Juliana chega?", Alex quis saber, já servindo um pedaço gigante para si mesmo.

"Segunda que vem. Pediu um tempo para se despedir do noivo. Há quantos dias você está em jejum?"

Alex riu do exagero do pedaço que havia colocado no prato. Serviu uma fatia para a avó também, ainda que não levasse muito jeito para cavalheirismos. Ligia o estava observando com aguçado interesse. Só então Alex se deu conta. Precisava de uma desculpa imediata.

"Que foi isso?", perguntou ela apontando para o supercílio do neto. "Um show que teve na escola. Tava lotado, levei uma cotovelada." Começaram, ambos, a comer. Alex com avidez, Ligia ruminando hipóteses. "Show de rock?"

"Hip-hop. A galera pira, ninguém fica parado, sabe como é."

"Não, não faço ideia."

Enquanto mastigava, Ligia apoiou o garfo e a faca na borda do prato, recostou-se na cadeira e ficou admirando o neto enquanto ele levava à boca mais uma porção. A companhia de Alex aliviava um pouco a ausência de Nuno. Ela precisava se aproximar mais do universo dele se o quisesse manter por perto.

"O hip-hop é..."

"Foda", completou Alex concordando antecipadamente, e continuou a devorar a lasanha.

"Eu ia dizer um gênero musical. Hip-hop é um gênero musical que faz apologia ao crime, não é isso?"

Alex chegou a pensar que a avó estivesse de brincadeira e olhou bem para ela antes de responder, e logo viu que a desinformação de Ligia era totalmente condizente com quem só ligava a televisão para ver filmes antigos e só escutava músicas que haviam sido gravadas antes dos anos 70.

"Preconceito, vó. Hip-hop é música popular. Como o samba."

Ligia voltou a comer. Colocou um pedaço pequeno na boca. "Sei." Terminou de mastigar. "Como um Cartola." Ficaram em silêncio durante mais alguns minutos. Ligia continuou olhando para o ferimento de Alex. Ele lastimou não estar usando um boné.

"Alex, esse show não foi semana passada?"

Alex estava com a boca cheia e fez questão de continuar assim, usando a boa educação para evitar responder, até que a avó esquecesse do assunto, e ela rapidamente esqueceu, levantando-se da cadeira para buscar o queijo ralado, que também havia esquecido.

20

Agora que a avó morava na mesma cidade, Alex podia visitá-la com mais frequência, mas já não conseguiria deixá-la alheia aos problemas da escola. Não era apenas o ferimento na testa, que normalmente Ligia nem ficaria sabendo, mas todas as consequências de se viver entre garotos estúpidos, que ainda não haviam assimilado as transformações que Alex experimentava dentro de sua família pouco convencional. Afora Matias, que morava em Torre Azul e logo se mudaria para os Estados Unidos, Alex não tinha amigos, da mesma forma que os avós, mas por motivos diferentes. Enquanto Nuno e Ligia optaram pelo autoexílio, mantendo apenas o contato obrigatório que as relações profissionais exigiam, sem tentar socializar com parentes e vizinhos – para o casal, a humanidade era um caso perdido –, Alex adoraria conhecer mais pessoas, ser mais enturmado, mas, na idade dele, a vida social ainda estava muito ligada ao colégio, e lá as coisas não andavam correndo bem.

Quando não estava trancafiado em seu quarto transitando pelas redes sociais e com a cara enterrada em games violentos, era na casa da avó que se refugiava – e para onde logo se mudaria, assim que Chantal embarcasse para Paris, o que estava previsto para os próximos dias.

O neto ainda não tinha a chave do apartamento de Ligia. Tocou a campainha e se surpreendeu quando a porta foi aberta por Rosaura. Chegou a olhar de novo a numeração, talvez tivesse se enganado. Entrou meio acanhado. Devia ser a tal vizinha que havia socorrido o avô pouco antes de ele ser internado.

"Aconteceu alguma coisa?", perguntou.

"Chamaram sua avó no banco. Ela pediu que eu ficasse para abrir a porta para você, sabia que você estava quase chegando."

Alex não disse nada. Atirou-se no sofá e começou a mexer no celular.

"A maior alegria de uma sagitariana é ser útil." Pelo visto ela estava a fim de conversa, pensou Alex. Rosaura observava as próprias unhas, não era bom sinal, viriam mais indagações.

"Virgem?"

"Ãh?"

"Signo."

"Nasci em abril, dia 14."

"Áries. Sabia."

Astróloga e vidente? Alex não estava muito a fim de trocar ideias sobre o mundo imaterial e lembrou que tinha um assunto mais urgente para resolver – saída estratégica para o banheiro.

"Já volto."

Rosaura não teria reparado que o celular de Alex havia ficado no sofá se o aparelho não tivesse emitido o sinal de entrada de mensagem pelo WhatsApp. Estava ali, ao alcance da sua mão e da sua curiosidade, que era normalmente grande, e que em momentos de tédio tornava-se maior ainda. Não pensou duas vezes. Pegou o aparelho e deu uma espiadela. Viu a foto de um travesti em atitude obscena acompanhada da legenda "Mamãe te ama, Alex". Escutou o barulho da descarga vindo do banheiro do corredor e jogou o celular de volta ao sofá.

Alex retornou ao local onde estava sentado, pegou o celular e visualizou a imagem que Rosaura havia conferido segundos antes. Não fez nenhum comentário, e Rosaura conteve-se para não dizer nada também. Poderia ter retornado para seu apartamento, a missão de abrir a porta para o menino já havia sido cumprida, mas não queria desperdiçar a chance de se aproximar da vida privada de Ligia e de sua família. Sabia que o período era de luto, o que aumentava o mistério e o peso das emoções. Tudo ali era bastante peculiar: a sobriedade do apartamento, o silêncio daquele adolescente e os livros. Nunca vira tantos. Na mesinha de centro, encontrou alguns de capa dura, pensou tratar-se de raridades. Valeriam dinheiro? Pegou um deles, abriu, não gostou do cheiro e devolveu para o lugar sem esconder seu desprezo e até certo nojo, havia uma crosta microscópica entre as letras em baixo relevo do título – a tal Juliana que viria da praia já deveria ter chegado para ajudar a dona da casa, que não parecia das mais asseadas.

Alex continuava digitando impacientemente com os dois polegares sobre o teclado do celular, como se estivesse emitindo uma mensagem de S.O.S. Os olhos estavam vidrados no aparelho, agia como se fosse o único sobrevivente de uma emboscada e precisasse de auxílio. Rosaura pegou uma publicação em papel, porém grande demais para ser uma revista. Leu o título, *Piauí*. Achou que era um grande folheto turístico e abriu. Franziu os olhos.

"Cruzes, olha o tamanho desses textos, gente." Jogou a revista de volta à mesinha como quem larga o lixo em local proibido. Claramente, não estava se divertindo. Escutou mais dois apitos de entrada de mensagem pelo WhatsApp de Alex. Não resistiu.

"Quem é que está pegando no seu pé desse jeito?"

"Você mexeu no meu celular?"

"Astróloga sabe tudo, garoto, ainda mais quando Mercúrio está retrógrado, é uma loucura, a gente fica assim, um radar."

"Piadista, mereço", pensou Alex, antes de responder. "Um pessoal do colégio. Por causa da minha mãe."

"Que tem sua mãe?"

"Ela é diferente."

"E daí?"

Um novo sinal de WhatsApp cortou a conversa. Alex deixou escapar um "bosta" entre os dentes. Rosaura se levantou, queria deixá-lo à vontade, o garoto estava concentrado em derrotar seus inimigos. Foi dar uma olhada nos livros que estavam dispostos na estante, ainda tinha esperança de encontrar algo que reconhecesse, nem que fosse de ouvir falar, mas, pelo que conseguia ler pelas lombadas, entortando ligeiramente a cabeça, não havia nenhum autor que lhe fosse familiar. O jeito era continuar se intrometendo na vida do guri.

"Você já contou isso pra sua avó? Tem que contar. É bullying."

"Ela também não aceita muito a minha mãe."

Rosaura olhou de novo para a quantidade de livros alinhados e deu um suspiro.

"Mesmo? Então isso aqui tudo é enfeite?"

Finalmente conseguiu extrair um esgar de sorriso daquele garoto solitário.

21

Alex estava praticamente morando com a avó. Estando Chantal ausente do Brasil, cumprindo temporada numa boate em Paris, ele dava um pulo em sua própria casa apenas para pegar um casaco mais quente quando baixava a temperatura, imprimir algum trabalho escolar ou molhar as poucas plantas que, a essa altura, eram restos mortais do que haviam sido. A maior parte do dia, e todas as noites, era com Ligia que ele ficava, e se sentia bem. A tristeza da avó não fazia barulho. Neste instante, por exemplo, Ligia estava entretida olhando o movimento da rua pela janela. O terceiro andar era baixo o suficiente para funcionar como um camarote com vista para os dias longos e as noites aborrecidas. De braços cruzados, com o vidro e a persiana abertos, Ligia observou Rosaura entrar no prédio acompanhada de um homem que ela, Ligia, não conhecia, e provavelmente Rosaura também não, já que na noite anterior estava acompanhada de outro homem que parecia ter metade da idade dela, com testosterona escapando de dentro da camiseta justa, bem diferente deste malandro de meia-idade por quem ela agora se deixava abraçar por todos os lados, com pressa evidente de chegar ao apartamento.

"Que porra é essa?", gritou Alex, que estava em frente à televisão. Ligia chegou a pensar que ele também estava xeretando a intimidade de Rosaura, mas os interesses do garoto estavam bem longe da janela. Ligia aproximou-se da tevê para ver o que estava espantando o neto e ficou brava consigo mesma pelo descuido de deixar a fita VHS, que vinha assistindo seguidamente desde que chegara da praia, dentro do equipamento de videocassete, que veio com ela na pequena mudança. Alex assistia às cenas do pai quando criança.

"Esse sou eu?", ele perguntou apontando para as imagens já gastas pelo tempo.

"Claro que não. Isso foi em outra vida."

Ligia manteve-se em pé. Pensava melhor em pé. Não tinha vontade de conversar sobre a sexualidade de Chantal com o neto. Havia lido algumas reportagens sobre redefinição de identidade de gênero, mas nunca chegava ao final do texto, recusava-se a se informar, como se temesse ser convencida de algo que não queria admitir. Resistia a ponto de nem mesmo encontrar a palavra certa para designar sua nova condição, se deveria chamá-la de transexual ou o quê. Era aflitivo reconhecê-la como mulher e desejou que Alex não levasse o assunto adiante.

"Eles não parecem a mesma pessoa", disse Alex, atordoado, usando o pronome "eles", no plural, para designar, simultaneamente, o pai biológico e sua mãe atual. Ligia pegou o controle remoto e desligou a tevê. Alex não reclamou.

"O Carlos começou a transformação quando você tinha uns oito anos. Talvez você não lembre dele como homem, por isso é mais fácil para você lidar com a situação."

"Muito fácil", repetiu ele, irônico. "Claro que lembro dele como meu pai. Ele se esforçava para jogar bola comigo, mas era um mané, furava os chutes, se atrapalhava todo." Os flashes da infância vinham e sumiam, Alex não conseguia lembrar com objetividade, mas o pouco que reteve na memória servia para fazer um balanço. "Ele era esquisito. Não sabia bem o que fazer comigo. Mas foi gente fina, conversava, se explicava, não se escondia."

"Absurdo ele não ter permitido que você viesse morar conosco na praia. Você era uma criança, como poderia entender o que estava acontecendo?"

"Só lembro de pensar que eu finalmente ia ter uma mãe."

Ligia não disse nada. Quando Carlos, aos 21 anos, avisou em casa que havia engravidado uma colega de faculdade, Nuno não disfarçou o orgulho, e Ligia não comemorou de imediato e nem depois. Havia sido um descuido de fim de noite, com todos os ingredientes para dar errado: Carlos só queria provocar ciúmes em um rapaz por quem estava interessado e não usou preservativo, a moça tampouco fazia uso de anticoncepcional e não recordava o número de cervejas que havia bebido. Só levou a gestação adiante porque descobriu que esperava um filho no quarto mês de gravidez – sua menstruação era irregular e a cabeça, oca. Todos conjecturaram, em silêncio, que a paternidade acidental de Carlos daria a ele trejeitos mais másculos e um destino ajustado com as convenções, mas o projeto pequeno-burguês não vingou: cinco meses depois, Alex nascia miúdo e encantador, e foi amamentado por apenas nove dias, quando a destrambelhada que o deu à luz bateu à porta de Carlos com o bebê embrulhado numa manta, dizendo que dali iria direto para a rodoviária. Atravessaria o país até chegar ao norte, que era o mais longe que suas economias podiam levá-la. Entregou o menino sem olhar para trás. Foi assim que a universidade perdeu dois estudantes de Comunicação de uma só vez, e Nuno e Ligia ganharam um neto para sempre.

 Alex levantou-se e foi até o aparelho. Apertou o eject mais por intuição do que prática. A fita foi expelida. Ele pegou-a com cuidado, não conhecia bem a natureza daquela relíquia, se ela se quebraria fácil, se esfarelaria. Analisou-a, intrigado.

"Que coisa bizarra. Só ocupa lugar, joga isso fora", disse ele. Fez menção de entrega-la a Ligia, mas ela não retirou as mãos do bolso da calça.

"Jogar fora o passado. Me ensina."

Alex precisava fazer alguma coisa para se livrar do desconforto que pressionava seu tórax. Foi até a janela onde antes Ligia estava bisbilhotando a vida alheia e, sem mirar, mas com impulso, jogou a fita longe em direção ao meio da rua. Ligia, que não esperava por aquele gesto desatinado do neto, deu um grito e correu até ele a tempo de ouvirem juntos a freada brusca de um carro e o berro furioso de um motorista que ainda não havia identificado que espécie de cadáver havia sob os pneus de seu sedan. Ligia e Alex imediatamente se abaixaram e encolheram-se no chão da sala, com as costas apoiadas na parede, ambos com os braços entrelaçados e a cabeça encurvada, dois moleques esperando o perigo passar. Ficaram em silêncio por um longo minuto, até que o motor do carro foi ligado novamente e o motorista seguiu adiante. Alex desvencilhou-se do braço da avó e colocou as duas mãos sobre os ouvidos, certo de que ouviria um sermão.

"Belo arremesso", foi o que escutou.

22

No dia seguinte, a casa parecia mais iluminada. Todas as janelas haviam sido abertas e o ar estava renovado. As almofadas no lugar, as prateleiras sem pó, o tapete bem varrido e o delicioso aroma de um refogado escapulia de uma panela no fogão. Juliana reassumira seu posto. Havia chegado no ônibus noturno feito uma retirante disposta a desbravar a capital que não conhecia e que seria seu lar por alguns meses.

Quando a campainha tocou, minutos antes de servir o almoço, Juliana veio correndo da cozinha para atender, excitada com qualquer coisa que pudesse soar como novidade, mas Ligia estava mais perto da porta e atendeu antes. Intuiu quem poderia ser.

"Ligia, minha irmã!"

Era admirável a rapidez com que Rosaura estabelecia vínculos. Antes mesmo de responder, Ligia já estava envolvida por um abraço de alguém que parecia estar retornando de um ano sabático. Demorado demais. Ligia, imobilizada, sentia os cachos do cabelo de Rosaura roçando em seu nariz. Dava tapinhas nas costas da moça mais para sinalizar "já chega" do que por retribuição do afeto. Ao desgrudarem-se, a vizinha foi direto ao ponto.

"Estou esperando você e Alex para jantarem lá em casa hoje à noite."

"Obrigada, Rosaura, mas..."

"Você é Leão. Sem nenhuma dúvida. Leoninos são assim, altivos. Não é bom, viu? Chega uma hora em que a realeza precisa descer do trono e se misturar. Espero vocês às oito." E virou-se para sair, levando com ela a certeza de que seu convite estava aceito. Ligia fechou a porta e todos os dedos da mão como se fosse dar um soco em alguém. Que ódio. Rugiu. Não suportava ser intimada a fazer o que não queria. Que insolência a dessa criatura. Rugiu outra vez.

A tarde passou arrastada e inútil. Ligia não tocou no livro que estava traduzindo. Impossível se concentrar, sua rotina havia sido abalada e isso a deixava inquieta, percebeu-se destreinada para imprevistos. No quarto, abriu o armário e deu uma espiada nas roupas penduradas nos cabides. Camisas de cores neutras, sóbrias. Nenhuma aquisição recente, nem lembrava da última vez que entrara numa loja. Escolheu uma calça marrom de um tecido melhorzinho e a jogou sobre a cama. Estava bem passada. Em vez de uma blusa especial, pegou o primeiro suéter da prateleira e o colocou direto sobre o corpo. Combinava com as calças. Considerando-se pronta para o sacrifício, foi até o banheiro escovar os dentes e passar um pente no cabelo. Antes de voltar para a sala, onde Alex a esperava, retornou ao quarto e abriu uma gaveta da cômoda, onde guardava uma caixa de tamanho médio, sem o status de um porta-joias. Tirou de dentro o colar de pérolas que havia ganhado de Nuno no último aniversário que haviam passado juntos em Paris, pouco antes de voltarem em definitivo ao Brasil. O mesmo com que Carlinhos adorava brincar quando ainda era um menino.

Ligia nem chegou a prender o colar atrás do pescoço, interrompeu o gesto com o pensamento "quando ainda era um menino" ressoando em sua cabeça. A ocasião não exigia tanto aparato. Devolveu-o para a caixa, fechou a gaveta e apagou a luz antes de sair para seu martírio.

Encontrou Alex atirado no sofá amassando a melhor camisa que tinha. Mexia no smartphone com a mesma volúpia de quem tivesse ganhado o brinquedinho naquele dia.

"Vamos?"

Alex se levantou sem olhar para a avó, agarrado ao aparelho, enquanto Juliana, encostada à porta que dava para a cozinha, assistia com curiosidade aquela cena fora do costume da família.

"Deixa o telefone aí, Alex."

Alex não acreditou no que estava escutando.

"Vó..."

Ligia aproximou-se do neto e delicadamente retirou o aparelho de suas mãos. Tinha plena noção de que o estava torturando, e sentiu um velho e reconhecido prazer. Aproximou-se da janela onde ambos haviam vivido fortes emoções na noite anterior e ameaçou jogar o celular pela janela.

"Vó!!!"

A reação pretendida. Como se divertia sendo sádica. Retornou para perto do neto e devolveu o que era dele.

"A gente vai aqui ao lado, não faz sentido. É falta de educação. Guarda isso."

"Alguém pode me ligar."

"Alex, você passa dias sem receber uma ligação. Qualquer emergência, a Juliana chama você."

"Beleza. Vou ficar fazendo o que sem o celular?"

Ligia abriu a porta do armário da sala e retirou dali uma garrafa de vinho tinto.

"Coisas incríveis como prestar atenção no que os outros estão falando..."

"Ridículo", Alex resmungou. Ligia continuava entretida com sua lista de benefícios da saudosa época analógica: "...praticar o desapego, não fotografar a comida... nossa, como isso me irrita". Percebeu que Juliana estava interessada na conversa e falou diretamente para sua auxiliar. "Só pode ser um distúrbio.

Outro dia vi fotografarem um pastel. Quem precisa imortalizar um pastel?" Juliana estava séria, com os olhos levemente franzidos. "Que foi, Juliana, está me olhando com essa cara por quê?"

"Desculpa dizer, mas a senhora se maquia mal."

"Não estou maquiada."

"Então é isso."

Ligia fez um sinal com a cabeça para Alex acompanhá-la e se dirigiu até a porta. Juliana não se conformava.

"Nem uma água de colônia?"

"Você não imagina como isso aqui cheira bem", respondeu Ligia levantando a garrafa que tinha em mãos. Juliana não se comoveu com a resposta. Usava perfume até para levar o lixo para fora.

23

Ligia já tinha apertado a campainha três vezes e começava a desconfiar que havia se enganado: então Rosaura não esteve em sua casa horas antes, convidando para jantar? Ela não poderia ser tão maluca a ponto de ter saído com algum homem que tivesse conhecido no meio da tarde e esquecido da vida. Ligia estava quase voltando para casa quando Rosaura abriu a porta com o cabelo molhado e uma toalha enrolada na altura do busto, deixando cair alguns pingos de água sobre o chão.

"Puxa, quando eu digo oito, entendam oito e meia", disse, sem necessidade de justificar a demora em atender. "Entrem, entrem, volto em cinco minutos, a casa é de vocês." E sumiu corredor adentro.

Ligia ficou estaqueada no meio da sala, não se atreveu a sentar. Precisava habituar os olhos com tanta cor e acostumar os ouvidos com os brados de uma cantora em volume suficiente para serem escutados por Rosaura embaixo do chuveiro.

Nunca havia estado em um lugar onde as paredes fossem azul-cobalto. As cortinas floreadas em tons igualmente vibrantes davam ao ambiente um ar brejeiro – era assim que Ligia imaginava uma casa baiana, nordestina. Observou com atenção um pôster enorme ao lado da estante: já havia visto aquela estampa de flores com bolinhas, em explosivas cores primárias, numa embalagem de sabão em pó. Sobre as prateleiras, muitos objetos esotéricos: mandalas, pirâmides, cristais, pedras. Sobre um banquinho, o que parecia um presépio era na verdade um zoológico em miniatura: Ligia identificou um elefante, uma coruja e uma lhama, todos de bronze. Sobre a mesa de centro, garrafinhas e outras bugigangas adquiridas em algum mercado árabe. No revisteiro, duas ou três *Caras* com desconhecidos na capa. Viu uma lanterna marroquina acesa no chão, ao lado de uma grande almofada com motivos hindus.

"Estou me sentindo uma turista", balbuciou Ligia com medo de que Rosaura a escutasse.

Alex, mais à vontade, sentou-se na ponta de um sofá amarelo. Ao lado, havia uma mesinha com tampo de vidro que sustentava um abajur cuja cúpula tinha o formato de um sol inca, mas o que atraiu Alex foi um porta-retratos digital que trocava as fotos a cada quatro segundos. Rosaura com uma amiga, Rosaura com outra amiga, Rosaura abraçada a um homem, Rosaura com as cataratas do Iguaçu ao fundo,

Rosaura de biquíni em posição de lótus. A vida de Rosaura inteirinha em rodízio.

A dona da casa surgiu vestindo uma túnica indiana e um jeans, com os cabelos ainda molhados, um batom vermelho e um grosso colar de placas espelhadas, tão enormes que Ligia conseguiu ver refletida a palidez do próprio rosto. Ainda em pé, entregou a garrafa a Rosaura.

"Não entendo nada de vinho. É um riesling?", perguntou a anfitriã.

"Um pinot noir", respondeu Ligia esforçando-se para não gritar.

Rosaura deixou a garrafa sobre a mesa, que já estava posta, e foi até o aparelho de som para trocar de música, enquanto era acompanhada pelo olhar curioso de Alex.

"Não me olhe assim, garoto, não é porque ainda escuto CDs que sou uma velha caquética."

Ele não perdeu a oportunidade de ser gentil. "Quem tem um porta-retratos como o seu está uma geração mais avançada que a minha."

Rosaura colocou um novo disco para tocar. "Pronto, mais adequado."

A música suave, em baixo volume, fez bem a Ligia, que agradeceu com um aceno de cabeça e um meio sorriso.

"Por que será que tudo que é adequado é sem graça?", perguntou Rosaura para ninguém em especial, sumindo pela porta da cozinha.

Ligia tentou lembrar a última vez que havia jantado na casa de alguém. Não tinha esse tipo de intimidade com amiga nenhuma. Se era verdade que as amizades vitalícias nascem na infância e prosperam na adolescência, estava explicada sua agenda telefônica tão desabastecida de contatos. Ligia nunca se empenhou em formar uma turma no colégio, ingressar num time de vôlei, fazer parte de um grupo. Preferia isolar-se com algum livro, paixão que a fascinava mais do que qualquer esporte com bola. Só desgrudava os olhos das páginas para se defender dos ataques à sua esquisitice – uma garota malvestida que preferia ficar sozinha jamais seria deixada em paz. Escutava os cochichos, as piadas, as provocações. As garotas acusavam-na de se sentir superior às colegas por preferir a literatura, ideia que nunca lhe tinha passado pela cabeça. Observava as mais ricas exibirem suas canetas coloridas trazidas da Disney, compararem seus cabelos sedosos com os de meninas de cabelo crespo, e não se sentia atraída a fazer parte deste jogo de poder – mesmo ainda não entendendo que era disso que se tratava. Seu único bem era um relógio de pulso que ganhara dos pais quando completou dez anos. De plástico. Vermelho. Era através dele que contava os segundos para virar logo uma adulta.

Poucos meses depois de retornarem de Paris, Nuno chegou da faculdade com uma surpresa: um conhecido que costumava dar palestras sobre sociologia jurídica havia convidado o casal para jantar em sua casa. Ligia topou no ato, andava esgotada, cuidava de Carlinhos dia e noite. Supôs que se divertiria um pouco. Conseguiu que sua irmã ficasse com o menino por algumas horas e acompanhou o marido na aventura. Arrependeu-se meio minuto depois de atravessar a porta e entrar na sala daqueles desconhecidos. A princípio, por um motivo banal: sentiu-se humilhada pela aparência da dona da casa, uma mulher nove anos mais velha, mas que parecia uma pin-up com seu decote perverso. Classificou a fulana como vulgar, o que não impediu que continuasse se sentindo deselegante como uma rã, deveria ter caprichado, colocado uns brincos, ao menos. Quanto ao excelentíssimo palestrante, era um profundo conhecedor de nada além do que sabia de cor. Talvez fosse um exímio orador em frente a um púlpito e a um microfone, mas sua sensibilidade para música e suas opiniões sobre política fizeram Ligia perder o pouco do apetite que restava depois de ter sido forçada a se entupir de amendoins e azeitonas de baixa qualidade. O casal citava pessoas que não estavam presentes naquele jantar e que não despertavam interesse nenhum, um punhado de tios e comadres que rendiam histórias insignificantes e demoradas como uma gestação. Falavam muito, e nunca uma picardia, um aparte poético, nem uma única frase que valesse arquear a sobrancelha. Na volta para casa, Nuno comentou pela primeira vez sobre sua vontade de se mudar para perto do mar.

Alex e Ligia já estavam sentados à mesa quando Rosaura trouxe da cozinha, com as mãos protegidas por um pano de prato, uma travessa retangular com algo quente e aromático lá dentro.

"Diz aí, Ligia, se come bem na França como dizem?", perguntou a anfitriã servindo à mesa. Alex abriu uma latinha de refrigerante que estava à sua frente. Ligia, cerimoniosa, não sabia onde colocar as mãos. A garrafa de vinho ainda fechada a aflige. "Razoavelmente", respondeu.

Alex balançou a cabeça desaprovando a ironia da avó, que piscou para o neto. De costas para os dois, Rosaura encontrou um saca-rolhas numa gaveta, para alívio de Ligia. Mesmo inexperiente, não teria dificuldade na operação, o abridor tinha hastes. Rosaura pegou a garrafa pelo gargalo e começou a enfiar a espiral na rolha sem antes retirar o lacre. Ligia sentiu uma pontada de saudade de Nuno: como ele reagiria a esse sacrilégio? Arrombada a rolha, Rosaura alcançou para sua convidada um cálice vazio que guardava no armário.

"Não vai pegar um pra você também?", perguntou Ligia.

"Não leve a mal, vinho é muito solene." E começou a servir o cálice de Ligia como se estivesse despejando água num tonel – só parou quando alcançou a borda. Então abriu uma latinha de cerveja, serviu num copo para si mesma e logo propôs um brinde. Ligia, que ainda estava segurando o cálice no ar, previu o desastre, mas não conseguiu evitá-lo – ao unirem as bebidas no centro da mesa, o vinho derramou na toalha branca. A única coisa branca naquele apartamento.

"Desculpe", disse Ligia, com a raiva bem disfarçada. Não tinha culpa daquele acidente previsível.

"Relaxa. Manchas contam histórias. Vamos comer, gente, senão esfria."

A massa estava deliciosa, um honesto penne à caprese. Se foi preparada por Rosaura ou requentada por ela após um providencial delivery era um mistério que Ligia não fazia questão de decifrar. Comeram rápido. Já estavam com os talheres cruzados e os copos vazios, e em meia hora poderiam bater em retirada. Rosaura tentou servir um pouco mais de vinho para Ligia, que recusou colocando a mão sobre o cálice, impedindo outro transbordamento. Já se sentia alta o bastante.

"Você é sempre calada assim?", perguntou Rosaura.

"Só quando perco o marido." Não queria ter soado hostil, tarde demais.

"Eu disse pra vó fazer terapia", disse Alex.

"Nunca fui de falar muito de mim", disse Ligia meio arrependida de não ter aceitado a nova rodada de vinho, mas Rosaura já estava em pé retirando os pratos.

"Pode não falar de você, mas tem que falar sobre Alex. Já foi na escola dele?"

Ligia aproveitou o rápido deslocamento de Rosaura até a cozinha e sussurrou ao neto: "Por que eu deveria ir à sua escola?". Alex fez uma careta, algo que Ligia traduziu como "bobagem dessa doida", então ela levantou e foi dar uma olhada nos livros, sete ou oito, que jaziam abandonados numa estante de metal. Rosaura voltou da cozinha com a intenção de não deixar o assunto morrer.

"Tá sofrendo bullying. Seria bom prestar atenção no que seu neto anda passando por causa da Chandelle. Charlene. Qual é o nome da sua filha mesmo?"

Ligia não respondeu e Rosaura não insistiu, pois ficou subitamente envaidecida ao ver a nobre vizinha tão interessada em seus livros. Dois de temas religiosos, três de autoajuda, um livro da astróloga Susan Miller e mais dois ou três de autores que Ligia não conhecia. Rosaura pegou um deles e entregou na mão de Ligia.

"Está aqui o que você precisa."

Ligia olhou para a capa do livro. O título era *Jesus, o maior psicólogo que já existiu*, de Mark W. Baker. O vinho estava fazendo efeito, pois Ligia quase gargalhou. "Vi um sorriso ou foi alucinação?", perguntou Rosaura.

"Sorrisos não combinam com meu rosto." Ligia tinha plena consciência da canastrona que estava interpretando. Precisava ir embora logo ou começaria a dar vexame. Alex, enquanto isso, já estava de volta ao sofá amarelo, encantado com o porta-retratos digital que continuava alternando fotos de Rosaura escorada em duas amigas, Rosaura fazendo selfie na plateia de um show, Rosaura enlaçada por um homem.

"É seu namorado?", apontou Alex para a foto, com esperança de obter uma resposta antes que a foto fosse substituída por outra.

"Não. E você, tem namorada?"

"Não."

"Já teve?"

Alex não estava acostumado a ser interrogado por estranhos. Estava na hora de sua avó dar o comando de voz para salvá-lo, mas Ligia continuava parada, em pé sobre o tapete, com o livro nas mãos e um ar de quem estava prestes a se desequilibrar.

"Nada sério", resmungou Alex.

"É virgem?"

Ligia abaixou a cabeça, como se este gesto de contenção pudesse torná-la ligeiramente surda.

"Já te disse... Áries."

"Vamos indo, Alex, amanhã você tem aula."

Ligia deixou o livro que tinha em mãos numa prateleira e Rosaura fingiu não ver a desfeita. O cafezinho oferecido foi recusado com a desculpa do adiantado da hora, mesmo não sendo nem dez da noite. Sem mais, dirigiu-se até a porta a fim de abri-la para os convidados. Alex levantou e seguiu a dona da casa. Todos se abraçaram, mais com alívio do que com afeto. Antes de sair, Alex ainda fez uma última pergunta a Rosaura.

"Como é que você sabe que aquele homem não era seu namorado? Nem olhou pra foto que apontei."

"Não tem nenhuma foto de namorado ali, menino. Eles entram e saem da minha vida com a mesma ligeireza do porta-retratos. Efeito Tinder."

24

De volta ao apartamento, Alex vestiu uma camiseta puída de estimação, a bermuda transparente de tão gasta e atirou-se sobre os lençóis, descalçando os tênis com a ajuda dos próprios pés, pois as mãos já estavam ocupadas com o celular. Alex sendo Alex, deitado e sem planos para as próximas cem horas. Mas a avó ainda não havia desacelerado.

"O que é Tinder?", Ligia perguntou com o corpo encostado no batente da porta do quarto do neto, que nem levantou os olhos diante do disparate da pergunta.

"É um aplicativo de encontros. Tem outros, tem um monte."

"Um cardápio de gente?"

"Mais ou menos."

Ligia jogou um beijo no ar e se virou para ir embora, mas subitamente retornou. "Aquele problema na escola. É exagero da Rosaura, não é?"

"Exagero nada. Tem um bando de babaca que implica comigo por causa da mãe."

"Que absurdo. Seu pai deveria ser mais discreto para não constranger você."

Alex lembrou de todas as piadas insolentes que era obrigado a escutar na escola, e especialmente de um soco que havia recebido cerca de um ano atrás de um nanico que se sentiu corajoso o suficiente ao perceber que mais cinco ou seis debiloides lhe davam cobertura. Foi seco com a avó.

"Não é pai. É mãe."

"Ninguém tem duas mães. Quem você chama de Chantal é seu pai. Um dia Carlos saiu com sua mãe, fizeram um filho, ela desapareceu de nossas vidas sem deixar nem o número do telefone, e ele virou essa figura indefinida, mas é seu pai."

O poder de síntese da avó era irritante.

"É minha mãe", disse Alex ainda sem encarar a avó, fixado na tela do celular.

"As pessoas deviam pensar nos outros antes de viver como bem entendem." E, desligando o interruptor que comandava a luz do teto, Ligia encerrou o diálogo: "Boa noite, amor".

"Volta aqui!!", gritou Alex com fúria. Ele se ergueu como se tivesse entrado num ringue. Ligia não se moveu.

"Você acha que o pai trocou de sexo para ser moderninho?"

Ligia não estava com a menor disposição para esse enfrentamento. Entre seus assuntos preferidos, a alteração de gênero sexual do filho estava abaixo do último lugar, e o que a incomodava nem era a legitimidade incontestável da situação, mas a dificuldade que tinha de se adaptar a uma condição que logicamente deveria aceitar, como mulher esclarecida que era. Em vez de responder, aproximou-se do abajur ao lado da cama de Alex, certa de que a escuridão total encerraria o embate. Apagou a luz.

"Durma."

Alex havia perdido qualquer resquício de respeito, paciência ou consideração com os escrúpulos de Ligia em discutir o assunto às claras.

"Acende essa luz, porra!", gritou como se quem tivesse bebido fosse ele.

Ligia acendeu, mais pelo susto do que por obediência. Alex estava alterado.

"Ela não ia conseguir ser feliz sendo homem. É a vida dela, que se danem os outros."

Ligia fechou os vidros da janela do quarto para que os vizinhos não o escutassem. "O que você entende disso? É um pirralho!"

"Moro com ela, escuto o que as pessoas dizem quando ela passa na rua." Não queria chorar, e não chorou, mas a voz saiu como se estivesse sendo esgoelado. "A gente sofre pra cacete!"

"Eu também sofro pra cacete!", disse Ligia, ciente de que a discussão começava a ficar absurda. Haviam entrado no campeonato das lamentações. O silêncio durou alguns segundos e por fim Ligia continuou, sem pensar direito no que falava: "Se eu quisesse ter uma filha mulher, eu teria uma".

"Você tem uma!"

"Você não sabe de nada."

Alex sabia, sim. Sabia que estava com muita raiva da arrogância da avó, do preconceito inexplicável que fazia com que ele tivesse vontade de sacudi-la até desmontá-la, até retirar de dentro dela toda aquela empáfia odiosa, mas a amava demais pra isso. Crescer estava sendo um processo confuso. Duvidava que um dia fosse entender as emoções contraditórias que aos adultos pareciam tão naturais. Chutou a cadeira que estava perto da escrivaninha, onde ficava seu computador. Fez mais barulho que estrago. Ligia passou as mãos pelo alto da cabeça, a conhecida tentativa de arrancar o couro cabeludo levando a testa junto. Alex não queria dizer mais nada, mas disse.

"A Rosaura é mais inteligente que você."

Era uma afronta, mas ele confiou que Ligia entenderia a espécie de inteligência a que ele se referia. Para quem tem quinze anos, sabedoria nada tem a ver com filmes de época, biblioteca farta e idade avançada, não era isso que garantia uma elevada pontuação no ranking dos evoluídos, o que importava era ter esclarecimento sobre as coisas e abertura para o novo, e Ligia, mesmo trazendo tanta bagagem e experiências de um passado cintilante e quase aristocrático aos olhos do neto, às vezes escorregava em chavões inaceitáveis, e azar dela se a comparação que Alex fez com Rosaura tivesse doído como um tapa – e parece que doeu, pois Ligia chegou a virar o rosto para o lado ao escutar aquele despautério. Ofendida, fez menção de sair do quarto, mas não saiu, continuou olhando para Alex, desafiadora, e ele se sentiu na obrigação de se explicar.

"Não adianta nada ficar vendo filme preto e branco. Ter morado na Europa. Abre essa cabeça. Parece aqueles imbecis do meu colégio."

Era a vez de Ligia mergulhar em emoções contraditórias: orgulhou-se do neto, havia ali um projeto de homem íntegro, libertário, democrático, mesmo que ela desejasse esganá-lo por lembrá-la que as dores internas de uma pessoa podem embaralhar seus ideais. Ligia sabia que ele tinha razão, mas se Alex conhecesse a história da avó com profundidade, se a tivesse conhecido quarenta anos atrás, no instante em que uma loucura pode vir a acontecer sem que se esteja preparado para suas consequências, no momento em que a vontade se sobrepõe ao racionalismo, se ele soubesse da atração exercida por uma conveniência quando a oportunidade se oferece... mas Alex ainda era um garoto, e ela era estatisticamente uma idosa com fortes dores lombares pelo que vinha carregando nas costas, e sem organizar bem o pensamento, ansiosa para encerrar aquela discussão que escondia subtextos e intenções não declaradas, lhe ocorreu um único argumento em autodefesa.

"Eu não vejo só filme preto e branco."

25

Nuno fazia falta de um modo que Ligia não encontraria palavras para explicar. Ela falava pouco dele, era sua forma de respeitar uma presença que ninguém, além dela, sentia – era como se Nuno estivesse a seu lado em todas as situações, ainda que ausente. Talvez esta fosse a melhor definição de amor, não importando que estivesse na contramão das evidências. Amor é erotismo, projeto, gatilho, desejo, proeza, experiência tátil – mas, também, presença invisível. Ligia agora caminhava só – mas Nuno ia junto.

Nem sempre só, a bem da verdade. Naquele exato instante, caminhava ao lado de Juliana num corredor de supermercado, imaginando o que Nuno diria e o que Nuno não diria. Ele sempre estaria por perto, provocativo até na morte, ou principalmente na morte.

Ambiente iluminado, corredores lotados de ofertas. Juliana empurrava o carrinho magnetizada pela variedade de produtos, enquanto a meta de Ligia era aproveitar a promoção de um azeite de oliva extravirgem português, mas, ao chegar na gôndola desejada, a prateleira estava vazia como em períodos de racionamento.

"Se você não demorasse tanto para se maquiar...", resmungou. Não ter mais nenhuma garrafa à disposição era culpa de Juliana, claro, que parecia vestida para uma rave de fim de semana, e não para compras em uma terça-feira qualquer.

Juliana não entendeu ou fingiu que não entendeu, que diferença fazia um azeite extravirgem português ou o azeite mequetrefe de sempre? Estava encantada por um hipermercado onde nunca havia estado, frequentado por mulheres e homens que nunca tinha visto, em especial um homem com aparência de cafajeste – seu tipo – que passou por elas em sentido contrário com um olhar fixo, que foi retribuído com um sorriso arteiro. Ligia percebeu o flerte, claro, e também a atitude inconveniente do sujeito, que, ao cruzar, se virou para apreciá-las de costas naquele corredor de enlatados.

"Como vai seu namorado?", perguntou Ligia.

"Noivo. O Juarez. Onze meses juntos. Onze!", disse ressaltando o número, como se ele tivesse três dígitos.

"Posso imaginar o tédio", respondeu Ligia, mesmo sabendo que ironia não era o forte de sua funcionária. "Faz o que o Juarez?"

"Tem uma oficina lá na praia. Tá ficando rico. A maresia enferruja tudo. Carro, bicicleta."

Ligia se deteve no setor das frutas e verduras. Escolheu um melão. Passou a fruta para Juliana, que o colocou no carrinho como se fosse uma granada. A garota quebrou o silêncio, arrematando: "Sou louca pelo Juarez".

"Você não pareceu tão louca assim pelo Juarez dois minutos atrás."

Juliana poderia ter feito cara de inocente, como quem pergunta "o que aconteceu dois minutos atrás?", insistindo em encenar o papel de boa moça, mas não decepcionou a patroa fazendo teatro de última categoria. Com o sorriso de quem adora ser flagrada aproveitando a vida, filosofou: "Ah, dona Ligia, se aparecer algo melhor, a gente repensa".

"Ou fica com os dois", Ligia respondeu antes que pudesse avaliar a reação de Juliana, mas a garota gargalhou como se tivesse escutado uma piada hilária, e Ligia deixou por isso mesmo, enquanto escolhia algumas maçãs. Sentindo-se a bruxa da Branca de Neve, pegou a mais suculenta com as mãos e lembrou uma frase que sublinhou sua juventude.

"O amor é a poesia dos sentidos. Ou é sublime, ou não existe."

"O que a senhora disse?"

"Não fui eu, foi Balzac." E então Ligia visualizou Nuno a poucos metros, extasiado com a qualidade dos tomates, com o perfume das bergamotas e com a breve ressurreição comandada pela imaginação mirabolante de sua viúva, uma mulher que recitava versos sem que ninguém soubesse que ela era capaz dessas delicadezas, a não ser ele.

26

Não seria difícil fingir que não a tinha visto, bastaria continuar trocando mensagens pelo WhatsApp com Matias. E foi justamente o que fez, fingiu concentração plena, como se a presença daquela garota de pernas infinitas que vinha em sua direção pudesse não ser reparada.

"Você não desgruda um minuto deste celular, hein?"

Não era possível ser tão sortudo. Tina a fim dele? Interrompeu a mensagem no meio e colocou o aparelho no bolso. "Parece minha vó falando." Ela era bonita de um jeito que as garotas normalmente não são. Zero maquiagem, o cabelo repicado na altura do ombro, o corpão maldisfarçado por baixo de sua camiseta GG.

"Nunca vejo você jogar", disse ela. Só então Alex reparou que os psicopatas da sua aula estavam disputando uma partida de futebol no pátio, gritando pela posse de bola como se faltassem cinco minutos para terminar a final da Copa do Mundo e o time deles precisasse empatar.

"Prefiro esporte de aventura." Ela vai achar que sou um metido. "Tipo surf." Agora vai ter certeza.

"Entuba?"

Como é que uma garota de dezessete anos pergunta isso para um fedelho de quinze sem levar em conta as consequências? Não sabia se era safadeza ou uma pergunta normal. Alex queria muito que ela estivesse sendo maliciosa, mas não quis acreditar tanto assim na própria sorte, a saída era se fazer de sonso.

"Tô aprendendo ainda. Mas agora minha vó está aqui, não tenho ido à praia."

"Garotos que surfam ficam com o corpo bonito." Sacanagem, menina. "Vai ganhar muque. Ficar forte." A mão dela está passando pelo meu braço, não estou delirando, estou? Foi quando Alex olhou por trás de Tina e viu sua avó entrando apressada no colégio, segurando a bolsa como se fosse um fuzil acomodado embaixo da axila. Teria que terminar aquela conversa empolgante.

"Minha vó está aqui."

"Você já disse isso."

Não havia tempo de explicar. Alex correu em direção à avó, alcançando-a antes que ela entrasse no prédio e torcendo para que a bola continuasse em jogo, não tinha nenhuma vontade de chamar a atenção dos colegas para seu encontro familiar. Segurou a avó pelo braço como se ela fosse uma cega a caminho do despenhadeiro. "O que você está fazendo no meu colégio?" Ligia se surpreendeu com a chegada do neto. Alex foi logo justificando que não estava matando aula, a professora havia faltado e a turma ficou com a hora livre, mas Ligia não parecia interessada em nada além do que cumprir seu objetivo. "Marquei uma reunião com a diretora, quer vir?" Alex ainda deu uma espiada para ver se Tina esperava por ele, mas a garota tinha evaporado. Quando deu por si, já estava instalado no gabinete austero da diretora, sentado numa cadeira improvisada ao lado de um armário de madeira de lei que cheirava a três séculos passados. Sacou o celular do bolso para fingir que não prestaria muita atenção. Resgatou a conversa digital com Matias, que ainda estava on-line.

27

Parecia um tribunal de pequenas causas. A diretora, sentada atrás de uma mesa, levantou quando Ligia entrou na sala, apertando-lhe a mão e oferecendo um sorriso discreto que Ligia reproduziu com a mesma indiferença. Em pé ao lado da diretora, feito um eunuco, havia um sujeito alto e magro, de terno e gravata, que cumprimentou Alex e apresentou-se como professor de História. A diretora havia convocado reforços. Ligia, coerente em sua objetividade, foi direto ao assunto. Relatou que o neto estava sendo perseguido por colegas mal-educados, o que estava atrapalhando não só seu rendimento escolar, mas fazendo com que ele tivesse menos vontade de frequentar as aulas, além de ter reduzido sua rede de amigos justo numa idade em que socializar era vital – o uso do verbo socializar a fez se sentir ligeiramente hipócrita, mas estava numa espécie de audiência e precisava ser convincente em sua tese de defesa. A diretora parecia interessada em escutar, mas o professor estaqueado a seu lado tentou minimizar a denúncia.

"Essa história de bullying é supervalorizada. É só implicância de garotos, molecagem. Sempre existiu. Vai dizer que você nunca pegou no pé de um colega, Alex?"

Não estava adiantando o esforço que Alex fazia para fingir que não estava ali. Não havia se preparado para dar um depoimento, a avó é que provocara aquela situação. Alex apenas olhou para o professor, insinuando que o silêncio era a única resposta a dar, e logo voltou para o mundo encantado da internet. Ligia fez o mesmo: olhou o professor e não disse nada. Voltou a falar apenas para a diretora.

"Bullying é uma violência, uma agressão que pode traumatizar e até, sei lá, provocar um suicídio. O Alex não vai fazer nenhuma bobagem, mas essa perseguição precisa ter um fim." Teve a impressão de que a menção da palavra suicídio havia sido dramática demais; evitou olhar para Alex, sentado atrás dela, prensado entre um armário e uma parede.

"O Alex sempre soube enfrentar situações difíceis com muita habilidade", disse a diretora, parecendo conhecer o aluno melhor do que aquela avó que nunca havia aparecido antes. Ligia começava a se impacientar. Alex já tinha encerrado a troca de mensagens com Matias, mas acompanhava o embate sem desgrudar os olhos do celular, um subterfúgio.

"Ele tem só quinze anos", disse Ligia projetando o corpo para frente. "A escola tem que impedir que esses covardes continuem a humilhar um colega por causa de um preconceito sem cabimento." Ligia não disfarçou sua inquietude, odiava discutir assuntos pessoais com quem quer que fosse, ainda mais com desconhecidos com quem não tinha a menor intimidade.

"Dona Ligia, respeito a sua opinião, mas há de convir que o caso da sra. Chantal Ferrand é muito incomum. Não tenho como impedir que haja uma reação de estranheza." A diretora fez questão de pronunciar o nome completo de Chantal, forçando um absurdo sotaque francês, o que Ligia considerou um deboche. Seu autocontrole estava por um fio.

"Isso aqui não é uma escola? Como é que vocês podem ser coniventes com tanta intolerância? Você iria gostar que implicassem com seu bigode?"

Alex, assustado, levantou o rosto e confirmou, surpreso, que Ligia continuava falando com a diretora, que realmente tinha um buço bem feioso. Teve esperança de que a avó estivesse se dirigindo ao professor, mesmo ele sendo mais imberbe que um bule de porcelana. Respirou fundo, a situação perigava desandar.

"Meu o quê?", perguntou a acusada, perplexa.

Panos quentes, rápido. O professor retornou à sua linha de pensamento, mesmo já tendo percebido que ninguém estava interessado no que ele dizia.

"Ainda acho que estão fazendo muito barulho por nada. É só ignorar que passa."

Desta vez Ligia nem desviou o olhar para o varapau, seguia com seus dois olhos ferozes mirando o rosto da diretora, que não conseguia disfarçar o desconforto gerado pelo comentário sobre sua aparência e agora apoiava os dois cotovelos na mesa, trazendo a mão direita em seu auxílio, os dedos providencialmente tapando a boca e a parte superior dos lábios. Ligia não atenuou.

"Deveriam promover palestras sobre diversidade aqui dentro. Filmes, documentários. Tem que haver debate!"

A diretora retirou os dedos que estavam sobre a boca e cruzou as mãos sobre a mesa com evidente mal-estar. Abaixou a cabeça e seu queixo quase tocou o colo, mas não abandonou a discussão.

"É um caso isolado, dona Ligia. Entendo que estamos falando do seu filho e do seu neto, mas..."

"Da minha filha!", corrigiu Ligia.

Alex ergueu a cabeça de novo, a diretora também, e o professor piscou duas vezes com nervosa rapidez. Desta vez Ligia não resistiu em dar uma olhadinha para o neto. Reparou que ele tinha largado o celular sobre as pernas e havia unido as duas palmas das mãos, uma contra a outra, fazendo com que a ponta dos dedos alcançasse a ponta do nariz. Como sabia que o neto não era chegado em rezas, o mais provável é que aquilo fosse a representação sutil de um aplauso. Enquanto isso, a diretora tentava acalmar os ânimos daquela conversa nonsense, em se tratando de uma instituição de ensino tão tradicional.

"Sim, da sua filha, mas..."

"E caso isolado não existe mais", prosseguiu Ligia. "O que existia era falta de informação. Ninguém mais está sozinho, agora tudo é problema de todos." E se levantou, para alívio da diretora, que levantou também, dando graças aos céus pelo encerramento da reunião. Ligia apertou a mão da bigoduda, satisfeita com seu grand finale, e ao professor dedicou apenas um olhar de desprezo enquanto se virava em direção à porta. Neste instante, um sinal de WhatsApp soou no aparelho de Alex, que o juntou do colo enquanto se levantava também. Ligia já havia cruzado por ele e aguardava no corredor quando Alex, após visualizar a foto que haviam lhe enviado, resolveu compartilhá-la com o professor. Erguendo o celular diante dos olhos do mestre, fez com que ele visse a pose obscena de um travesti com a boca borrada de batom e uma legenda dizendo: "Dá um beijinho na mamãe, Alex". Quando teve certeza de que o professor tinha entendido o que vira, fez uma pergunta sem aguardar resposta.

"Só ignorar, né?"

28

Ao chegarem à calçada, em frente à escola, Alex abraçou longamente a avó, pouco se importando se os dementes da sua aula iriam testemunhar aquele gesto de carinho e gratidão que, claro, inspiraria alguma piadinha idiota, especialidade da turma. Se no início da reunião Alex estava achando um mico ser exposto daquele jeito para a diretoria do colégio, descrente de qualquer resultado que pudesse atenuar seus dias, agora nem era mais o resultado que importava, e sim a postura corajosa e acolhedora de Ligia. Era como se ele tivesse ganhado um cobertor extra num dia de frio. Tinha conseguido esconder da família os constrangimentos que vinha sofrendo há mais de ano, mas uma nova pessoa havia entrado em sua vida e imposto aquele enfrentamento desconfortável, porém necessário, e não era nenhum parente próximo, e sim Rosaura, a vizinha sem noção, que, com uma naturalidade desconcertante, começava a fazer diferença na vida dos moradores da porta ao lado.

Ligia sentia-se bem por ter saído do casulo e tomado o partido do neto, mas ainda sobrava alguma munição, e não era de desperdiçar arsenal de guerra. Quando viu um garoto passando pelo portão vestindo uma camiseta estampada com uma frase em francês, o abordou como se o conhecesse desde criança.

"Você sabe o que está escrito na sua camiseta, rapazinho?"

Alex viu que era uma frase longa e não teve tempo de raciocinar. O garoto, aluno de uma turma mais avançada, olhou para os lados como quem pergunta "é comigo?", e quando viu que era, saiu ligeiro pelo outro lado, voando pela calçada a fim de evitar a velha louca.

"Vó, só faltava você fazer bullying com os outros, agora."

"Não sou preconceituoso desde que não se beijem na minha frente", disse Ligia.

Alex ficou olhando para ela sem entender nada.

"Era o que estava escrito na camiseta: não sou preconceituoso desde que não se beijem na minha frente. Vocês consomem esses estrangeirismos sem nem prestar atenção nas bobajadas que passam adiante."

"Gostei de ver você defendendo a mãe."

"Defendi você."

Ambos se olharam amistosamente. Bastava de luta, a tensão começava a diluir-se. Ligia perguntou se ele viria com ela para casa, mas Alex ainda tinha uma última aula, mais tarde voltaria. Repetiram o abraço e então Ligia afastou-se, deixando Alex solitário diante do portão, sentindo-se diferente, como se fosse outro Alex que agora teria que retornar para dentro do prédio da escola, menos alienado e mais comprometido com o que lhe acontecia. Assim que se virou para atravessar o portão, deu de cara com a diáfana Tina saindo da escola saltitando no ar como uma borboleta. Ela sorriu para ele.

"Onde é que nós estávamos mesmo? Lembrei: surf."

Será que ela sabe como é bonita? A bandida sabe, pensou Alex, enquanto Tina continuava a puxar papo. "Vou à praia no sábado. Dê um jeito de ir também. Vou adorar conhecer sua prancha." E com essas palavras finais, deixando os joelhos de Alex frágeis como os de um ancião que houvesse levado uma surra com tacos de beisebol, Tina dependurou a alça da mochila no ombro e saiu batendo as asas, misturada a algumas amigas. Aquele não estava sendo um dia como outro qualquer.

Ao retornar para casa, à noitinha, Alex encontrou a avó mais calma, concentrada numa edição francesa de Amélie Nothomb, autora belga que Ligia considerava jovem para seu padrão de interesse – não costumava ler autores vivos – mas vinha sentindo uma súbita necessidade de se atualizar. Alex se jogou no sofá com seu brinquedo favorito nas mãos e não comentaram o episódio máster do dia. Juliana estava ocupada com alguma coisa na cozinha. Dali a pouco, a campainha da porta soou e Ligia foi atender, sabendo que, se ninguém havia interfonado, só podia ser quem de fato era. Deu de cara com Rosaura com a roupa amassada de quem peregrinou pela cidade desde que acordou.

"Oi, não vou entrar, não adianta insistir. Em meia hora eu volto, só vou tomar uma ducha", disse a astróloga, atordoando Ligia.

"Te fiz algum convite?"

"Não retribuiu meu jantar, então vamos sair para comer na rua. Você paga."

"De onde essa criatura arranja tanta energia?", perguntou-se Ligia. Tentou tergiversar. "Estou lendo um livro..."

"Livro a gente lê quando está doente ou quando está chovendo", sentenciou Rosaura cheia de razão, e desapareceu no corredor. Ligia fechou a porta do apartamento bem devagar, ainda sem acreditar na intimação que havia recebido. Com os braços desabados ao lado do corpo, olhou para Alex, que se divertia com a situação. Ligia fez uma súplica bem-humorada.

"Sobraram alguns remédios tarja preta que seu avô tomava?"

"Não faz drama."

Vendo que Ligia se dirigia para o quarto, Alex a interrompeu. "Vó, posso ir para a casa de praia no sábado de manhã?"

"Sozinho?"

"Uma noite só, volto domingo. Pra continuar as aulas de surf, meu instrutor vai estar lá."

"Vou com você."

"Não precisa, vó. O Matias vai pra Torre Azul também, precisa buscar umas coisas dele antes de embarcar para os Estados Unidos. Pô, libera aí, ando enferrujado."

Juliana entrou na sala no momento exato, parecia que tinham ensaiado. "O Juarez dá uma espiada nele, dona Ligia", disse a noiva do dono da oficina. Ligia saiu vencida da sala para trocar de roupa no quarto, enquanto Juliana e Alex espalmavam as mãos como se tivessem marcado um ponto importante num jogo de quadra. Aproveitando que estavam a sós, ela não resistiu em investigar o amigo.

"Aí tem, né?"

"Tem o quê?"

"Mulher."

"Uma garota de dezessete anos, mulher?"

"Como você é inocente, Alex. Quem é a sortuda?"

"Uma garota do colégio. Tá rolando nada não, sua metida. Só amizade."

"Sei. E se rolar?"

Alex freou. Não estava disposto a ter uma conversa íntima com Juliana nem com qualquer outra pessoa a respeito da sua inexistente vida sexual. Há algum tempo que estava viciado em sites de pornografia, tentando com isso evitar que, ao ter sua primeira relação, a garota desconfiasse de que ele não tinha experiência alguma. Os valentões da escola contavam muita vantagem, mas Alex nunca soube distinguir o quanto havia de mentira e de verdade nos relatos detalhados sobre onde haviam passado a mão, até onde as meninas deixavam ir, e pelo visto todas deixavam tudo, bastava eles investirem, ou nem isso, apenas esperarem. Tina já teria se jogado assim para outros caras? Alex torcia para que o interesse que ela demonstrava por ele fosse exclusivo, talvez ela fosse virgem também. Estava neste devaneio quando percebeu que Juliana continuava sentada ao lado dele no sofá e não mudara de assunto.

"Você ainda é..."

"Sai fora, Juliana, não vou falar sobre isso com você."

Juliana era refratária a grosserias, não acusava golpe nenhum, tinha mais o que fazer, como ser feliz, tarefa que ocupava todos os seus minutos. Levantou-se calmamente, a fim de concluir seus afazeres na cozinha, quando Alex pegou sua mão, interrompendo sua saída.

"Senta aí."

Juliana voltou a sentar, mal disfarçando um esboço de sorriso.

"Tô apavorado."

A risada de ambos selou a cumplicidade e encheu a sala.

29

O dinheiro não era farto naquela época, mas Nuno sempre reservava alguns francos para tomar um café com sua namorada no Le Consulat, em Montmartre, ou juntarem-se a Jerôme no Le Select para uma noite inteira de papos filosóficos sobre o amor, o cinema e a política, os temas preferidos do trio, nesta ordem. Tanto em um endereço como no outro, adoravam ver a vida passar, exatamente como Ligia estava fazendo naquele instante com Rosaura, sentadas junto a uma mesa de calçada e cercadas por outros frequentadores de um bistrô que precisaria de no mínimo mais cem anos de história para equivaler-se ao charme do Velho Mundo.

"Era excitante beber no mesmo local em que estiveram Henry Miller, Hemingway, Picasso, Fitzgerald", disse Ligia com um ar sonhador e um tantinho de petulância diante de um cálice de vinho tinto e de Rosaura, que mal conhecia os nomes mencionados e que parecia bem satisfeita com seu chope, enquanto perscrutava os rostos dos homens desacompanhados que estavam em volta. Não eram muitos.

"Neste bar aqui você vai encontrar, no máximo, um zagueiro do Grêmio, ouvi dizer que ele mora por perto", Rosaura provocou, mas Ligia continuava com a cabeça muito longe, em outro continente.

"Paris era tão estimulante, você não imagina. Éramos jovens idealistas que desejavam mudar os costumes, as normas, o mundo. O romantismo impregnava todos os ambientes, os bulevares, as escadarias, e usávamos as próprias vivências como bandeira. Virávamos a noite falando sobre os novos movimentos artísticos, *sur l'amour*..."

"Sobre o quê?"

"Sobre o amor, Rosaura." Ligia suspirou, mas não se deixou desanimar. "A vida era mais livre, mais anárquica. A gente perdeu um pedaço de nós quando voltou ao Brasil."

"Tem certeza de que você voltou para o Brasil?"

Ligia não chegou a responder, estava dando o último gole no vinho enquanto fazia sinal para o garçom trazer mais um cálice.

"Onde foi parar a Ligia anárquica?", continuou Rosaura.

"Voltei para fugir dela."

Rosaura olhou bem para aquela nova amiga tão enigmática. Amizades recém-iniciadas traziam incubada a curiosidade: tudo a ser revelado. Rosaura podia não ser uma expert em humanismo, mas era craque em intuição e um desastre em discrição.

"Você não teve outro homem além do Nuno?", arriscou.

"Tive, ainda que esta resposta me pareça um exagero."

Rosaura matou com um gole só a metade da tulipa de chope que segurava. A noite prometia, pensou. Limpou o bigode de espuma que se formara sobre seu lábio superior, fez sinal para o garçom trazer outro e esperou Ligia dar prosseguimento ao assunto.

"A primeira vez que vi Nuno, ele estava saindo de um cinema em Saint-Germain-des-Prés com Jérôme. Saint-Germain era o bairro boêmio de Paris, hoje perdeu o glamour, foi invadido por turistas. Eu tinha assistido ao mesmo filme que eles. Me meti entre os dois, puxei assunto e logo estávamos os três bebendo vinho, como nós duas agora, se este seu chope fosse vinho também."

Rosaura não estava bebendo nada, o garçom era lerdo na reposição.

"Naquela mesma noite, vi que nosso encontro duraria pra sempre", continuou Ligia.

Rosaura visualizou, três mesas adiante, um homem meio gordo, meio barbudo, meio parecido com um leão de chácara, e ele retribuiu o olhar. Normalmente Rosaura não daria mais importância a uma amiga do que a uma paquera, mas aquela era uma noite diferente, a perspectiva de ouvir confidências de uma senhora vivida, praticamente uma estrangeira, compensava o celibato. "Pra sempre. Bonito isso de um amor durar pra sempre. Pena que é um delírio", foi a contribuição de Rosaura ao debate.

Ligia passou o dedo pela borda de seu cálice e olhou para o fundo do copo, já não dialogava, mas falava consigo mesma.

"A monogamia é que é um delírio. Números ímpares são mais revolucionários que os pares."

"Diz aí, Ligia, voltaram para o Brasil por quê?"

"Jerôme inventou de casar com uma inglesa desenxabida. Eu engravidei de Nuno numa noite em que fomos descuidados. A estupidez venceu. A família tradicional."

"Eu não sei se estou entendendo. O gringo... e vocês..." Rosaura roçou seu dedo indicador no dedo médio, insinuando uma parceria promíscua. Ligia achou graça, percebeu que estava se divertindo pela primeira vez desde a morte de Nuno.

"Achei que você fosse mais moderna", disse Ligia.

"Achei que você fosse mais careta", rebateu Rosaura.

Pela primeira vez trocaram uma risada sincronizada e realmente afetiva, de quem começava a desenvolver alguma ligação, mas Ligia logo reduziu a marcha, não estava acostumada a ser tão aberta.

"Preciso comer alguma coisa, estou ficando bêbada."

Rosaura fez sinal para o garçom se aproximar e não deixou a conversa morrer. "Dá muito trabalho essa história de ter alguém ao lado todo santo dia, na alegria e na tristeza, na saúde a na doença. Ideia mais sem pé nem cabeça."

"O provisório também cansa, não cansa? Recomeçar do zero a cada fim de semana. Prefiro as permanências. Mesmo que seja, sei lá, uma extravagância permanente, como a que vivíamos em Paris", disse Ligia, e deu sequência ao raciocínio sem temer a inconfidência: "Mas Nuno e Jerôme não transavam, ao menos não que eu soubesse. O sexo era livre entre mim e eles, e ninguém precisava dar satisfação de seus atos".

O garçom postou-se ao lado da mesa. Rosaura reclamou do atraso do chope, encomendou outro cálice de vinho para Ligia e, sem consultar o cardápio, pediu o mesmo hambúrguer duplo com queijo e sem cebola, era uma cliente frequente do local, ao contrário de Ligia, que analisou o cardápio como se fosse um manual de instruções e se surpreendeu ao encontrar uma opção de lanche que combinava perfeitamente com suas memórias.

"Eu vou querer o croissant."

"Recheado ou puro?", perguntou o garçom.

"Puro. Três."

30

A noite estava limpa, iluminada. As estrelas quase tão visíveis como se estivessem no céu de uma pequena cidade do interior. Ligia caminhava de cabeça baixa, contando os próprios passos, concentrada em não ser engolida por um buraco ou em tropeçar em algum desnível da calçada. Não tinha muita consciência do momento, a não ser a de que havia bebido além do seu limite. E falado demais, por consequência. Rosaura, ao contrário, caminhava olhando para cima, e as cervejas que havia entornado pareciam não ter exercido nenhum efeito que pudesse causar algum constrangimento inesperado.

"O céu é que sabe tudo da gente", disse com um olhar sentimental para a lua crescente. "Ligia, quero fazer seu mapa astrológico, me diz a data em que você nasceu."

"Não acredito nessas coisas", respondeu Ligia analisando a ponta de seus sapatos.

"Leoninos são muito céticos, precisam desenvolver a espiritualidade."

Ligia surpreendeu-se concordando, mas defendeu-se mesmo assim. "Minha espiritualidade não tem nada a ver com o sobrenatural." Lembrou-se de quando era uma criança obrigada a acompanhar os pais na missa das seis da tarde de sábado, de como o sermão do padre parecia a ela a descrição de uma cena alucinógena. Milagres, ressurreição, pecados mortais, vida eterna – como ser conduzida por esses preceitos sem duvidar ou enlouquecer? Desde pequena, cética como um rochedo. Se era para desopilar, preferia recorrer ao realismo fantástico que fazia com que ela imaginasse a presença de Nuno em meio a situações mundanas, aparições que a consolavam mais do que anjos e santos.

"Astrologia não é sobrenatural, não. É ciência", continuou Rosaura. "Eu respeito e acredito em tudo. Em astrologia, budismo, espiritismo, xamanismo, candomblé, I Ching, tarô. Menos em terapia, que é muito caro."

Ligia recordou o dia em que Alex sugeriu que ela fizesse terapia. Soou como se estivesse dizendo que a avó era uma desajustada: o que aquele moleque sabia da vida? E sim, terapia era muito caro, pagar uma fortuna por cinquenta minutos de desabafo, tinha cabimento? Bastou esse breve minuto de desatenção aos próprios passos e deu-se o inevitável, tropeçou como imaginava que poderia acontecer, ou como queria mesmo que acontecesse, pois em vez de erguer o corpo e se aprumar, aproveitou a quase queda para sentar-se no meio-fio da calçada, derrotada pela fadiga. Rosaura admirou-se, nunca tinha visto uma madame tão à vontade no chão. Diante do que lhe pareceu o cúmulo da decadência, Ligia começou a gargalhar, primeiro com a cabeça jogada para trás, e logo inclinou-a para frente, enfiando-a entre os joelhos, como se buscasse algo dentro do próprio abdômen. Seu corpo convulsionava. Rosaura sentou-se ao lado de Ligia no meio-fio e ficou observando a rua, já sem qualquer movimento de carros e pedestres.

"Dou três minutos para um assaltante chegar aqui e perguntar qual é a graça."

Ligia deu mais uma risada, ou parecia que era uma risada, pois mantinha o rosto escondido, mas assim que levantou a cabeça, Rosaura percebeu que era mais um caso de embriaguez traiçoeira, aquela que revela nossa histeria quando o que mais se deseja é esconder as emoções. Ligia, obedecendo a um roteiro previsível, chorava. Entre uma convulsão e outra, disse como se não houvesse mais ninguém em volta: "Eu devia ter contado para o Nuno".

"Ele não sabia do gringo? Entendi que não era um segredo para ele", admirou-se Rosaura.

Ligia buscou um lenço de papel no bolso do casaco, enquanto limpava as lágrimas com a outra mão.

"Não era." Assoou o nariz. "Mas sobre Chantal, ele nunca soube tudo."

"O que tem pra saber?"

"Ela não é nossa filha."

"Ligia, pare de se torturar com isso. Até eu, que não sou nenhuma sumidade, tenho capacidade de entender que uma pessoa tem o direito de não se identificar com o sexo que nasceu e queira viver de outro jeito, ora."

Ligia tentou ficar em pé, mas se sentiu tonta. Amparou-se no poste. Rosaura procurou auxiliá-la, mas recuou ao ver Ligia vomitar.

"Também não é nosso filho", disse Ligia antes de soltar outra golfada.

31

Caminhavam lentamente, como se participassem de uma procissão de fantasmas. Ambas com os braços cruzados em frente ao corpo. Haviam percorrido algumas ruas e passado várias vezes em frente ao prédio em que moravam. Sem combinar, continuaram dando voltas e voltas no mesmo quarteirão, para estranhamento do porteiro, que as acompanhava por trás dos vidros da porta de entrada. Rosaura não ousava interromper o relato de Ligia, que falava com placidez, concentrada em detalhes de um passado que retornava como se tivesse acontecido ontem. Só quando Ligia finalmente calou por alguns minutos, Rosaura entendeu que a história estava terminada. Não havia nenhum fio solto, nada mais a ser questionado. Começo, meio e fim.

"Eu acreditaria nessa história vinda de qualquer pessoa desvairada, menos de uma mulher como você", comentou Rosaura, respeitosamente. Ligia não respondeu. Continuaram caminhando, ambas de cabeça baixa, como se refletindo sobre tudo o que havia sido dito.

"Está se sentindo melhor?" Rosaura procurava ser gentil.

"Estou e não estou", foi a resposta concisa.

Rosaura sabia que adentraria em campo minado, mas não havia como fingir que o que havia escutado era uma história qualquer. Precisava dar sua opinião. "O Nuno não tem mais como saber, mas você precisa contar pra Chantal."

"Ela já tem motivos suficientes pra me odiar."

Estavam novamente em frente ao prédio onde moravam e não havia mais necessidade de continuarem dando voltas no quarteirão, mas antes que Ligia se dirigisse à portaria, Rosaura a segurou pelo braço e mostrou algo que há muito tempo a inquietava: atado a um cabo elétrico, a uma altura de uns sete metros, havia um tênis pendurado pelo cadarço. Um pé só. Um calçado velho, de cor indefinida, ainda mais no escuro da madrugada.

"Olhe aquilo ali, Ligia. Nunca entendi o que significa. Uns dizem que é marcação de território de gangues. Outros, que o tênis é de alguém que foi assaltado. Não é perturbador?"

"Talvez não signifique nada. Como as instalações de arte contemporânea."

"Eu não sei o que você quer dizer com instalação, mas acho que ninguém iria se dar o trabalho de colocar esse troço lá em cima por nada, uma explicação tem que ter."

"Estou exausta de tentar entender as coisas", disse Ligia virando as costas para a noite e entrando no prédio ainda de braços cruzados, tentando se proteger de um frio que só ela sentia.

32

Não se lembrava de quanto tempo havia passado desde a última vez que tinha assistido a um filme em uma sala de cinema. Nas raras vezes que ia a Porto Alegre com Nuno, permaneciam na cidade por poucos dias, apenas o suficiente para cumprirem alguns compromissos ligados à saúde e adquirirem novo estoque de livros, já que em Torre Azul praticamente não existia oferta de cultura: qualquer oásis que surgisse era considerado uma epifania. Em um verão, muitos anos atrás, uma kombi forasteira estacionou na praça central de Torre Azul. Era um sebo itinerante, atração que deixou a população entusiasmada, menos pela oportunidade de adquirir livros e mais pelas cores extravagantes e pelos desenhos psicodélicos pintados na lataria daquele veículo que contrastava com a pacata localidade ignorada no mapa. Atraídos por um alto-falante que tocava Beatles e rock dos anos 60, os habitantes e poucos veranistas aproximavam-se para tirar fotografias e observar o casal proprietário daquela atração sobre rodas, um homem muito espichado e uma mulher atarracada, ambos com o rosto marcado pelo sol e com a complacência cativante de quem conseguiu realizar um sonho da adolescência – e chapados, bastante. Nuno chegou a conversar sobre literatura com o sujeito e teve o impulso de convidá-lo para um café em casa, o que só não fez Ligia infartar porque o plano falhou: o casal de hippies estaria de partida na manhã seguinte e não haveria tempo para a visita. Ligia não suportava ter sua privacidade invadida por estranhos. Agora, sentada dentro de um cinema de shopping, cercada por comedores de pipoca e viciados em Coca-Cola, percebeu que começava a se distanciar de si mesma, daquela mulher ermitã que via apenas filmes no aparelho de DVD e, recentemente, através de plataformas de streaming, modernidade promovida por Alex, que socorria os avós nos assuntos tecnológicos.

Não acreditava que fosse gostar da comédia, mas como Charlotte Gainsbourg estava no elenco, e Ligia tinha apreço pela família da moça, sentou na última fila da plateia do cinema, intrigada pelo título do filme, *Samba*, e disposta a conhecer os atributos do ator principal, que andava sendo aclamado pela crítica. Duas horas depois, deixou a sala encantada por Omar Sy e sentindo-se chique por, como de costume, ter dispensado a leitura das legendas – havia sido um momento agradável, enfim, mas que foi rapidamente revertido quando se deu conta de que estava dentro de um shopping center. Era uma transição violenta: sair do cinema e, em vez de encontrar uma alameda arborizada, ter que percorrer corredores tão iluminados quanto um hospital e com uma loja grudada em outra, idênticas em sua absoluta ausência de bom gosto. Mas já que ali estava, resolveu entrar numa butique que exibia um estoque abundante de echarpes, uma de suas poucas vaidades. Assim que passou pela porta, a vendedora que estava no fundo da loja fez menção de se aproximar, o que Ligia desencorajou levantando a mão – não era preciso nenhuma gentileza, estava apenas dando uma olhada. A vendedora manteve-se afastada, observando a cliente experimentar uma echarpe, depois outra, e mais outra, sem se decidir por nenhuma. Ligia tinha acabado de se enrolar em um modelo cor-de-rosa – nunca vestiu cor-de-rosa na vida – quando seu celular começou a tocar. Retirou-o da bolsa e atendeu. Levou alguns segundos para identificar quem falava do outro lado.

"Claro, mãe do Matias, lembro sim", disse com seu habitual desinteresse. Não era nenhum assunto privado, mas não se sentiu disposta a conversar diante da vendedora e saiu da loja sem nem mesmo dar um sorriso para trás. "Uma reuniãozinha de despedida, arrã. Levo o Alex, claro." Caminhava pelos corredores do shopping tentando compreender a necessidade que as pessoas tinham de festejar qualquer movimento em suas vidas. "Não, ainda não entrei no Facebook." As pessoas cruzavam por Ligia no corredor, muitas delas com o rosto enfiado no celular, e ela ainda não entendia o que estava perdendo de tão sensacional. "Até segunda-feira. Obrigada." Desligou, colocou o aparelho na bolsa, deu mais alguns passos e parou diante de uma vitrine onde vários casacos estavam expostos lado a lado, todos iguais, apenas em cores diferentes – azul, fúcsia, laranja, pêssego, verde. O guarda-roupa de Ligia era o oposto daquele arco-íris. Tudo cinza, preto, marrom ou bege. Branco era considerado por ela uma cor viva. Matutando se um dia teria coragem de vestir algo tão chamativo, nem percebeu a presença, ao seu lado, da vendedora da loja da qual havia saído minutos atrás.

"Vai roubar o casaco azul ou o verde?"

Ligia não reconheceu de imediato a moça. "Falou comigo?" A vendedora não respondeu, continuou com o olhar grudado em Ligia, sem explicar sua repentina aparição e nem a razão daquela pergunta estapafúrdia. Quando não se sabe o que fazer, a solução é fazer coisa nenhuma. Ligia virou-se para ir embora e, enquanto dava os primeiros passos, sentiu algo desenrolar-se em seu pescoço. Ligia tateou a região do colo sem entender bem o que lhe escapava e, ao ver a moça segurando a ponta da echarpe, se deu conta do que havia acontecido. Desmanchou-se em desculpas sinceras.

"Foi sem querer, juro."

"Na próxima vez você explica isso para o delegado", disse a vendedora afastando-se e carregando com ela o butim. E não poupou Ligia de um último insulto. "Gentalha."

33

Alex olhava para o celular de trinta em trinta segundos, desesperado com a lentidão da passagem do tempo. Chegou a lamentar não ter um relógio de pulso a fim de conferir o andamento contínuo dos ponteiros, assim não precisaria ficar aguardando a troca dos números digitais – como se fosse possível o tempo atender aos caprichos da ansiedade. Não via a hora de ir para a rodoviária e entrar no ônibus. Portava uma mochila enorme e, estaqueado no meio da cozinha, procurava qualquer coisa que pudesse engolir às pressas no café da manhã. Virava pra lá e pra cá, quase derrubando o que estava em cima da bancada por causa do volume pendurado nas costas. Custou para visualizar as bananas em cima da mesa, bem à sua frente. Mal percebeu também a entrada da avó, que vestia um robe sobre a camisola.

"Caiu da cama?", perguntou Ligia dando-lhe um beijo no ombro. Seu neto estava crescendo – ou ela encolhendo.

"Meu ônibus sai agora às oito", respondeu Alex com a boca cheia.

"No sábado tem ônibus de hora em hora para a praia. Senta e come direito."

"Vai dar, não."

"Senta." Uma avó, quando diz senta, a gente senta. Alex puxou um banco de madeira que ficava embaixo da mesa. A avó puxou outro. Estavam frente a frente, com a bancada entre eles. Ligia juntou as cascas de banana sobre a mesa com as duas mãos, como se examinasse um passarinho morto.

"Eu poderia ter feito croissants pra você", lamentou, melancólica. "Quer um suco?"

Alex estava vidrado na tela do celular. Tina havia postado novas fotos no Instagram. Respondeu no automático, sem desviar os olhos do aparelho: "O que é croissant?".

Ligia revirou os olhos, sem acreditar. "O que é banana?", retrucou, incrédula.

Alex riu e largou o celular por um segundo a fim de explicar a pergunta que havia feito. "O que *quer dizer* croissant? Em português."

Se o amor de Ligia pelo neto fosse avaliado em pontos, Alex teria triplicado sua milhagem com esta pergunta. Nada deixava Ligia mais satisfeita do que relembrar seus anos fora do Brasil.

"Croissant significa crescente. Tem o formato de uma lua crescente, nunca reparou? Bendita Maria Antonieta que levou esta maravilha pra França."

"O croissant não é francês?"

"Foi criado em Viena. Maria Antonieta era uma princesa austríaca, acabou casando com Luís XVI e virou rainha da França, mas não pôde levar nem seus cachorros para a nova pátria. Ainda bem que traficou a receita da meia-lua que tanto adorava."

Ao mesmo tempo em que falava, Ligia pegou uma banana na fruteira, levemente encurvada nas duas pontas, formando a letra C. Um C amarelo. Deu uma espiada em torno da cozinha, como se buscasse ajuda. Abriu uma gaveta, à procura de algo que não encontrou. Abriu a segunda. Nada. Abriu a terceira. Sorriu. Havia ali um conjunto de jogos americanos de plástico, cada um de uma cor escura. Ligia encontrou o que queria embaixo de todos: o retângulo azul-marinho. Retirou-o da gaveta e o amparou contra a parede. E então aproximou a banana, procurando um contraste entre os dois objetos, o jogo americano azul-marinho funcionando como se fosse uma janela aberta para a noite ao fundo, e a banana representando o satélite – a lua crescente.

"Vê?", perguntou Ligia expondo sua obra de arte improvisada para o neto.

Primeiro Alex olhou bem sério para a avó. Bem sério. E, de repente, sorriu. "Prefiro você assim, meio louca." Deu um beijo na testa de Ligia e saiu apressado, porta afora, sem lhe dar tempo para esticar a conversa.

34

A parte dos polichinelos era fácil, bastava lembrar as aulas de educação física no colégio, aquecimento clássico. Depois, rotação de braços para frente e para trás. Moleza. Mas aí veio o treino prático antes de cair na água. O exercício consistia em deitar-se de barriga sobre a prancha, ainda na areia, e então, subitamente, levantar-se com uma perna à frente da outra e os braços abertos, feito asas, simulando a posição que manteria seu equilíbrio. Se desejava ser um surfista, não podia matar esta aula.

Os poucos habitantes de Torre Azul tiravam a sesta após o almoço, a praia estava quase vazia naquele sábado abafado e com o céu cor de chumbo. Paulo era um veterano bonitão de 38 anos e sobrevivia como instrutor do esporte nos inícios de temporada. Já havia triunfado em campeonatos em Saquarema, Joaquina, Torres. Depois das manobras em solo e a seco, Paulo decretou a seu aluno que era hora de enfrentar as ondas de verdade, e foi neste instante que Alex viu Tina ao longe, se aproximando, e teve certeza de que perderia a garota caso ela percebesse seu nervosismo. Juntou a prancha da areia e seguiu Paulo. O mar estava gelado, como sempre está no litoral gaúcho, e Alex parecia um zumbi, sem reação. Dentro da água, não conseguiu ficar em pé na prancha nem por três segundos, em nenhuma das tentativas. Um vexame atrás do outro. Passou meia hora tentando seguir as instruções de Paulo, mas com o olho naquela garota de shorts branco que agora estava sentada na areia, os braços em volta das pernas recolhidas e morenas, a plateia ideal, a plateia infernal. Quase na arrebentação, Alex avisou Paulo que estava cansado e daria um tempo, e então começou a sair do mar vagarosamente, primeiro alternando as braçadas e, assim que deu pé, segurando a prancha ao lado do corpo enquanto sacudia os cabelos molhados – e os neurônios, dos quais precisaria.

Alcançada a praia, sentou-se ao lado da garota, na areia, agora ambos de frente para o mesmo palco espetacular, aquela infinitude oceânica. Paulo continuava no mar e, terminada a aula, fazia manobras ousadas, exibia-se para seu aluno.

"Um dia vou ser fera como ele", disse Alex, observando-o.

"Vai demorar", retrucou Tina. Alex colocou a cabeça em meio às pernas, envergonhado: "Me viu treinar". Envergonhado mais ou menos. Sabia fazer um charminho. Tina sorriu e encostou seu ombro no dele, para assinalar que estava sendo implicante, apenas. Ele levantou a cabeça, olhando em frente justo quando Paulo dropava uma onda. "Você vai ver. Sou persistente", disse a ela, ciente de que estava fazendo a apresentação típica do pré-acasalamento: sou persistente, sou retraído, sou faminto, sou isso, sou aquilo. Quase uma entrevista de emprego. Ela estava jogando o mesmo jogo: "Também sou persistente. Mas não gosto de esperar". A garota não perdia tempo.

Os lençóis desbotados permaneciam cobrindo alguns móveis. Quando as trovoadas começaram, ainda na praia, Alex havia aproveitado para pegar a mão de Tina e conduzi-la a um abrigo seguro, e agora estavam os dois sentados no chão frio da sala, ela com as costas amparadas numa poltrona, ele encostado no sofá, ambos perigosamente perto um do outro. A chuva caiu diabólica sobre Torre Azul, e Alex se perguntou se haveria alguma coisa na geladeira para garantir um lanche, mas não quis sair de onde estava. Havia uma mulher na frente dele. Uma garota dois anos mais velha é uma mulher, sem discussão. Os pensamentos lógicos sumiram, sentia-se embriagado sem ter bebido nem a própria saliva, a boca seca como o sertão. Tina parecia desgraçadamente à vontade, como se vivesse situação semelhante uma vez por semana, mas não entre nessa paranoia, dizia o garoto para si mesmo, concentre-se. Repare, ela está espanando a areia do próprio pé, os pés que foram a primeira coisa que você conheceu dela – e, sem pensar duas vezes, ele segurou o pé de Tina com todo o cuidado e o limpou, passando suavemente a mão sobre os dedos dela, retirando os grãos de areia que caíam sobre o piso. Se Juliana visse, faria um escândalo, surgiria com a vassoura, mas estavam a sós, a chuva que desabava do céu era a única e privilegiada testemunha. Alex chegou a se comover, sabia que estava sendo terno, mas em suas fantasias eróticas não havia papel para a ternura, estaria agindo direito? O coração batia rápido, mais rápido do que os pingos contra o vidro. O barulho nas vidraças e a quietude da casa se harmonizavam, era a trilha sonora de um desespero prestes a ser encerrado. Tina perguntou onde estava o celular dele. "Não faço a menor ideia", ele respondeu, e ela abriu um sorriso luminoso, como se o sol tivesse entrado pela porta naquele instante.

A noite teve a duração de um longo poema. Horas depois de ter vivido a experiência que transformaria sua vida, certeza de todo moleque diante da aguardada estreia sexual, Alex começou a escutar o som insistente da campainha. Percebeu que era muito cedo e que havia dormido pouco. Tina estava ao seu lado na cama, de costas, abraçada a um travesseiro. Ela não se mexia. O som da campainha continuava e Alex temeu que Tina acordasse. Vestiu ligeiro a bermuda que estava jogada no chão, a mesma do dia anterior, e, sem camisa, caminhou rápido até a sala. Os primeiros vestígios da manhã se infiltravam pelas frestas da janela. Abriu a porta e Paulo não deu nem bom dia. "Sete horas, vamos lá, irmão, para o surf já é tarde." Alex franziu os olhos e só conseguiu balbuciar um "desculpa aí", sem motivo para tanto. Afinal, desculpas por quê? Por não ter atendido a porta antes? Por estar quase pelado? Por recusar o convite de Paulo no dia em que tudo à sua volta – as nuvens, os passarinhos, a grama verde – finalmente ganhava sentido? Mas Paulo não queria saber de poesia. "Tá sozinho?" A sonolência facilitava a mentira. "Arrã." Paulo deu uma espiada na sala, por cima do ombro de Alex, e ordenou: "Então coloca seu biquíni e vem". Virou de costas e partiu, enquanto Alex, abobalhado, ainda com a porta aberta, deu uma espiada na cena do crime e viu a parte de cima do biquíni de Tina esquecida sobre o sofá. Não teve certeza se fechou a porta antes de voltar para o quarto.

35

Ligia desembarcou do táxi como se estivesse saindo de uma viatura da polícia com as mãos algemadas. Entrar num prédio em que nunca havia colocado os pés antes, pedir ao porteiro para conduzi-la até o salão de festas, apresentar-se a estranhos: não, não, uma delegacia seria mais divertida. Alex acompanhava a avó, torcendo para que nada desse muito errado nas próximas horas. Ligia vestia camisa e calça, ambas sóbrias, como de costume, mas o colar de pérolas finalmente havia recebido permissão para passear enrolado ao seu pescoço, ainda que a ocasião não fosse apropriada – Ligia ainda tinha um longo caminho a trilhar até dominar as sutilezas da moda. Parecia sempre mais velha do que era. Um colar de pérolas só surtiria bom efeito se ela estivesse de jeans, e não uniformizada para um encontro paroquial, mas essa lição ficaria para mais adiante. Agora ela tinha como única missão parecer agradável à esfuziante Solange, mãe de Matias.

    O salão de festas era impessoal e sem identidade, como todos os salões de festa, por mais que se invista em gérberas coloridas e em toalhas alugadas. Não havendo um proprietário definido, o senso comum rege a decoração e dificilmente o ambiente oferece algum aconchego. Ligia passou uma vista de olhos, contou cerca de trinta pessoas, não conhecia ninguém. Cogitou dar meia-volta antes que reparassem sua presença, mas Solange foi mais rápida, aproximando-se com um vestido estampado, uma taça de espumante na mão e uma alegria que incrivelmente parecia autêntica. Não dava mais tempo para fugir. Ligia recebeu dois beijos na face e mais uma vez foi tratada com uma intimidade cuja procedência lhe era um mistério, não lembrava de ter sido tratada com tanto carinho nem mesmo pela própria mãe. Aliás, principalmente por sua mãe. Manifestações efusivas de afeto não eram consideradas de bom-tom na família de Ligia, talvez por isso ela tenha se acostumado com facilidade à forma europeia de convivência – nada de muitos toques físicos, os abraços elegantemente racionados, beijos só depois de uma amizade de décadas. Que fim havia levado o educado aperto de mão? No Brasil, evaporou dos manuais de boas maneiras, dando lugar a uma anti-higiênica troca de suores. Matias logo se aproximou, concedeu um "oi" para Ligia e se dirigiu a Alex: "E aí, cara, sumiu todo o fim de semana". Ligia lançou um olhar interrogativo para o neto, que ignorou a avó e desapareceu com o amigo, infiltrando-se entre os adultos do salão. Ligia não conseguiu acompanhar o trajeto do garoto, pois já estava com seu braço preso pelas mãos de Solange, que a convocava: "olha pra cá, olha pra cá". Virou o rosto e viu-se na mira de um celular mal equilibrado entre os dedos da anfitriã. A selfie foi tirada antes que Ligia atinasse que deveria sorrir. Quanto esforço exige a socialização, pensava, enquanto escutava os planos da mulher.

"Assim que Matias embarcar para San Diego, volto para a praia. Você não?"

"Estou tomando conta do Alex enquanto a mãe dele viaja."

"Adoraria conhecer sua filha", disse Solange, um comentário à toa que não exigia resposta, mas o sarcasmo de Ligia não escolhia hora. "Eu também." Se Solange entendeu a profundidade da observação, ninguém nunca saberá, pois já estava dando atenção aos outros convidados. Ainda assim, Ligia não usufruiu nem meio segundo do bendito abandono. Uma mulher mais jovem, de uns 45 anos, surgiu como que por um passe de mágica, em estado preocupante de abstinência, mesmo ainda não sendo cinco horas da tarde. "Alguém sabe onde foi parar o garçom?" Ligia prontificou-se a procurá-lo junto com ela, pois se deu conta de que só conseguiria entrar no clima da festa com algum aditivo etílico. Passando a churrasqueira, à esquerda, viram um moço de jaleco branco servindo vinho rosé a um grupo de velhinhas excitadas. Do que riam tanto? Ligia não fazia questão nenhuma de envelhecer dando gargalhadas, muito menos em bando, menos ainda em público. Aquelas senhoras tinham idade suficiente para convulsionarem e morrerem ali mesmo, estiradas no tapete. Sentiu novo ímpeto de fugir por alguma saída de emergência, mas manteve-se altiva com o cálice vazio na mão, esperando sua vez de ser abastecida. A colega também segurava firme seu cálice vazio. Pareciam duas mendigas num semáforo, aguardando os motoristas abrirem o vidro do carro.

Devidamente servidas, procuraram um sofá onde se sentar, a fim de se transformarem na melhor amiga uma da outra até que aquela segunda-feira terminasse. Beberam um gole, depois um segundo gole, e Ligia então largou seu cálice na mesinha ao lado. Tentava pensar em algum assunto que pudesse ter em comum com aquela desconhecida. Colocou as duas mãos apoiadas nos joelhos e, ligeiramente encurvada, como uma figura melancólica de Edward Hopper, observou o ambiente em volta, a fim de encontrar algo para comentar.

"Antes de fazer pilates eu sentava igualzinha a você." A colega tinha mais prática em puxar conversa. "Minha coluna parecia um ponto de interrogação", foi o complemento da afirmação anterior.

Ligia procurou ficar mais ereta e mencionou que tinha o costume de caminhar todos os dias na beira da praia. Aproveitou para falar da casa em Torre

Azul e, secretamente, agradeceu a oportunidade de resgatar na memória o seu refúgio particular, do qual sentia uma saudade que se somava a outras, às saudades todas de uma vida que parecia desaparecer pelo retrovisor. Nada a impedia de continuar com as caminhadas nas ruas do bairro ou mesmo numa praça que ficava a poucas quadras de onde morava atualmente, mas duvidava que conseguisse conectar-se consigo mesma estando cercada por automóveis, pedestres e edifícios. Não caminhava para emagrecer, e sim para dedicar um período do dia a não ser ninguém, a não ser nada, a não ter antes nem depois, apenas deixar-se levar pela sensibilidade plena, onde os cheiros, a paisagem, a sensação tátil dos pés contra o solo ajudavam a enraizá-la num agora absoluto, sem nenhuma relação com o entorno exaustivo das exigências rotineiras. Nuno era a única pessoa que conseguia fazer parte deste deslocamento sem interromper o encontro espiritual de Ligia com ela mesma. Um encontro que agora não acontecia mais na beira da praia, e sim trilhando caminhos menos poéticos, mais povoados, e que ela ainda não sabia onde iriam dar.

Mas preferiu justificar sua paralisia sem aludir às dores emocionais. Disse apenas que suas articulações pareciam placas tectônicas, e não mentia. Mas era provável que fossem consequência da rigidez de suas convicções, e não do sedentarismo.

"Anota o número do estúdio onde eu treino, você vai se sentir outra mulher."

Ligia tinha pouca paciência com pessoas prestativas. As boazinhas a irritavam num grau ainda a ser investigado por algum psiquiatra, caso ela se predispusesse a um tratamento analítico na próxima encarnação – e caso acreditasse em reencarnações. Em vez de defender sua tese de que as pessoas não deveriam oferecer o que não foi solicitado, considerou que seria mais simples abrir sua bolsa e procurar papel e caneta. Não encontrou uma coisa nem outra.

"Desculpe, não tenho onde anotar."

A melhor amiga daquela segunda-feira ("por Deus, quem agenda festinhas vespertinas numa segunda-feira?") virou-se para ela com extrema curiosidade, como se estivesse diante de um fóssil.

"Você só pode estar brincando. Dá aqui seu celular."

Ligia tirou o objeto arqueológico da bolsa – seu celular não era um smartphone, e sim um instrumento que um dia foi moderno em 1999 – e entregou-o na mão da companheira que, sem dúvida, tinha um plano infalível para aliciar Ligia para a militância da boa forma física. A melhor amiga daquela segunda-feira digitou algo com extrema rapidez e eficácia, provavelmente o número do telefone de um estúdio de pilates. E então o celular foi devolvido com um conselho muito oportuno.

"Está mesmo na hora de você virar outra mulher."

36

Juliana estava dentro do quarto de Ligia. Era um fato. Nada a demoveria dali. Ligia nem tentou, no fundo estava precisando de assessoria a respeito do seu look – não era assim que as publicações de moda designavam a aparência das mulheres? Seu look, pois: vestia um blusão de moletom com a gola puída e uma calça também de moletom cuja cor ninguém arriscaria dizer qual era. Alguma chance de que houvesse sido verde, mas o cinza e o bege estavam no páreo. O tênis era um velho companheiro da juventude. Ligia posava com os braços apoiados na cintura, em frente ao espelho que ficava grudado à porta do armário. Virava-se de um lado, depois de outro, como se estivesse diante de um fotógrafo de revista que ainda usasse uma Rolleiflex. Juliana mantinha-se estática, tomando água no gargalo da garrafa, esperando o melhor momento para iniciar seu discurso, e ele não haveria de ser animador. Quando Ligia perguntou "que tal?", Juliana não foi direta na resposta, apenas disse que terminaria o serviço mais cedo no dia seguinte para acompanhar a patroa às compras.

Muito antes de conhecer um shopping center, Ligia já o tinha como a representação do inferno em um dia de castigo supremo. Mas lá estava, de novo, obediente às demandas urbanas, numa loja que vendia artigos esportivos, desta vez acompanhada da fosforescente Juliana, que havia nascido para o capitalismo selvagem. Ligia sentia uma preguiça mortal de analisar os produtos expostos nas araras, mas Juliana parecia ter aspirado três carreiras de cocaína. Selecionou um top amarelo canário que obrigou Ligia a colocar os óculos escuros. Melhor seria desconsiderar as sugestões da menina e pinçar ela mesma algumas peças.

Não havia como evitar a ida ao provador – alguém um dia há de descrever o efeito mortífero de um provador de loja na vida de uma mulher que só deseja terminar seus dias lendo Proust ou admirando as esculturas de Michelangelo. Ligia, mesmo tendo optado por uma clássica legging preta e uma camiseta verde-clara, não reconheceu a mulher que enxergava refletida. "Agora só falta eu gravar um vídeo de ginástica, que nem a Jane Fonda."

"Quem é esta?", perguntou sua bem-informada funcionária, esperando do lado de fora.

Encerrada a provação, em duplo sentido, saíram caminhando juntas pelos corredores do centro comercial com algumas sacolas em punho. Juliana não estacionava o olhar nem por dois segundos no mesmo ponto, estava extasiada pelo templo do consumo, virando a cabeça de um lado para o outro. "Nunca vi um lugar tão lindo."

"Você está parecendo comigo quando tinha sua idade", disse Ligia sendo sincera.

"Ao entrar num shopping pela primeira vez?", perguntou Juliana.

"Ao entrar no Louvre pela primeira vez."

37

Quando escutava a palavra pilates, Ligia relacionava com Pilatos, o governador romano da Judeia que condenou Jesus à crucificação. Não fazia a menor ideia de quem era Joseph Pilates, inventor de um método de condicionamento físico que havia se tornado obrigatório em todo o planeta Terra, ao que parecia. Quem não fizesse pilates, estaria condenado a algo muito pior do que a cruz: corpo desconjuntado, coluna estropiada, enferrujamento, atrofia, imobilidade e outras desgraças. Suas caminhadas em Torre Azul eram suficientes para deixá-la bem-disposta, nunca sonhou em se matricular numa academia, mas, agora que vivia na cidade, os apelos vinham de todos os lados. Rosaura dera para emprestar a Juliana revistas que nunca eram devolvidas, ficavam espalhadas pela sala de Ligia, anunciando uma "vida saudável" ao custo de muito suor e equipamentos. Ligia resistia à pressão, mas Juliana parecia ter se aliado a Rosaura no mantra: "Pilates é perfeito para quem não gosta de puxar ferro", e quando caiu em si, Ligia estava frequentando um pequeno estúdio perto de casa, onde duas vezes por semana recebia de sua instrutora ordens muito criativas como "coloque o umbigo nas costas" ou "sorria com os ombros", isso tudo enquanto realizava acrobacias que seriam mais adequadas para invertebrados. "Encolha as costelas, encolha as costelas!"

Certo dia, depois de um treinamento intensivo, Ligia chegou da aula cansada e foi direto para a cozinha em busca de água. Enquanto pegava um copo e abria a geladeira, recebeu um elogio de Juliana: "Reparou que a senhora anda mais sensual?". Ligia tomou um gole, depois outro, apoiou meia bunda em cima da mesa e, ignorando o comentário, disparou mais uma de suas analogias: "Agora entendo por que os homens fogem do serviço militar". Juliana insistiu: "Com todo o respeito, está mais gostosona, sim". Seria excesso de otimismo dizer que, em tão pouco tempo de treinamento, o pilates tivesse conseguido reduzir os glúteos de Ligia, mas a distância emocional entre ela e Juliana estava visivelmente menor, e só não avançaram no bate-papo porque Alex entrou na cozinha com cautela e um silêncio preocupante. As duas mulheres esperaram alguns segundos até que dissesse alguma coisa, mas ele parecia estar escolhendo as palavras. Ligia deu mais um gole de água e o interpelou: "Que cara é esta?". Alex fez uma pausa dramática. "Quero te falar uma coisa." Ligia tentou bancar a vidente. "Vai me contar por que foi sozinho para a praia, sem que Matias estivesse por lá?" Alex continuava sisudo. "Não é isso. Acho que você não vai gostar." Ligia aguardou o desfecho da revelação.

"A mãe deixou uma autorização assinada", continuou Alex, se defendendo antes mesmo de ser acusado. Ligia levantou a bunda da mesa, mas seu instinto dizia que o que parecia grave para o garoto talvez não fosse tanto assim. Como Alex estava lento na transmissão da notícia, Ligia deu um empurrãozinho cínico, para não perder o hábito: "Você casou?". Alex não sorriu. Começou a dobrar a manga comprida da sua camisa com irritante lentidão, até que alcançasse o bíceps e sua primeira tatuagem ficasse visível. Aquele pedaço de carne onde até ontem não havia nada agora estava ocupado por um imenso desenho tribal, ainda não cicatrizado. Ligia olhou, primeiramente espantada, mas logo curiosa. Olhou de novo. Encarou Alex. Olhou para a tattoo mais uma vez. E então, com tranquilidade impensável, pegou um copo vazio no escorredor de louça, serviu de água e o entregou para Alex, que pegou o copo como se ali houvesse uma dose de veneno letal. Ligia era o enigma em pessoa, ninguém poderia prever sua reação, mas era notório que não escondia seus ascos e preconceitos. No entanto, ergueu seu próprio copo em direção ao copo de Alex, tocando-os para fazer um brinde.

"À permanência."

38

Alex olhava para aquela mulher madura, mais consciente de seu corpo, vestida com roupas justas que não costumava usar, e se deu conta de que a avó estava mudando. Depois de anos enclausurada na vida a dois, escondida dentro de um casamento e invisível ao restante do universo, agora já não evitava o confronto com pessoas que, até pouco tempo, julgava vulgares. Uma descidinha do pedestal nunca estivera em seus planos, mas estava dando bons resultados. Parecia mais ágil, mais leve, e até mesmo sua curiosidade havia sido despertada, ela que nunca se atrevia a fazer perguntas íntimas a ninguém por considerar uma indesculpável falta de classe.

"Pra que tanto mistério, Alex?" Estavam ambos de frente para a janela do apartamento, lugar preferido da avó, como se dali ela pudesse visualizar a vida que havia deixado para trás. "Assunto de homem, vó." Ligia suspirou e meneou a cabeça. "Achei que essa história de separar o que é de homem e o que é de mulher estivesse ultrapassada, ao menos na nossa família." Sorriram juntos, e o semblante da avó pareceu tão encantador que Alex pegou o celular que estava no bolso da bermuda e tirou uma foto dela antes que ela conseguisse tapar o rosto com as mãos, avessa que sempre foi a surpresas. Tarde demais, sua risada tão rara havia sido capturada e já estava na galeria de imagens do aparelho do neto. Alex guardou o celular no bolso e se encaminhou para o sofá. Enquanto caminhava, falou em voz baixa, a testa quase batendo no queixo. "Uma garota da escola, a Tina. Ela... me seduziu." Ligia seguiu o neto, sentando-se a seu lado. Deu duas palmadas na coxa de Alex. "Que nem eu fiz com seu avô. Me conte alguma coisa que me espante." Alex olhou para Ligia. Relutou um pouco, talvez estivesse calculando onde colocar os pronomes. "O vô me contou que você namorava ele e Jerôme ao mesmo tempo."

Ligia se levantou por instinto, como se houvesse sentado sobre um caco de vidro. Não tinha exatamente para onde ir, ficou parada no lugar. Virou-se para Alex, que continuava bem acomodado. "Ele contou isso?" Alex assentiu com um sorriso maroto, de quem fez uma boa jogada no xadrez. Ligia sentou-se de novo. "A gente tinha outra cabeça naquela época." Alex esperou ela continuar. "Havia um filme que a gente adorava, do Truffaut. Assistimos umas quantas vezes. *Jules e Jim*. Você não deve ter assistido." Alex escutava. "Tínhamos vinte e poucos anos e a liberdade sexual era mais que um sonho adolescente, era um ato político." Alex não entendia muito bem o que o filme tinha a ver com o que a avó estava falando. "Tipo Dona Flor?", perguntou envergonhado, pois não tinha assistido a esse também, estava apenas intuindo. "Tipo isso", respondeu a avó meio debochada, visivelmente desdenhando do exemplo dado pelo neto, e também de seu linguajar.

"Eles não sentiam ciúme um do outro?", quis saber Alex. Ligia levantou-se de novo, agora com trajeto definido: foi novamente até a janela, de onde podia enxergar o seu passado a perder de vista, sem tantas paredes impedindo a lembrança. "Éramos muito jovens, tínhamos compromisso com a subversão do pensamento, militávamos a favor de uma cultura alternativa, de uma sociedade menos engessada por padrões que a gente julgava obsoletos. Mas sentíamos ciúmes, sim. Eu mais que eles dois, acredita? Quando Jerôme conheceu a inglesa e quis ficar só com ela, pirei. Aquilo me desnorteou, era como se ele estivesse desequilibrando um jogo que havia sido muito bem esquematizado. Naquela época eu me considerava esperta, mas não entendia nada de amor, e o que ele sentia pela inglesa era amor, tanto que casou com ela logo depois. Eu achava que ele estava traindo nosso pacto, traindo o existencialismo, traindo não só a mim e a Nuno, mas traindo também

Sartre e Simone de Beauvoir, olha só que devaneio. Você sabe de quem estou falando, não sabe?"

"Mais ou menos." Mentira.

"Jerôme passou a ser o traidor de um movimento maior que nós, tudo por causa de uma loirinha que usava botas acima do joelho. Cheguei a jogar uma pedra nela na primeira vez que vi os dois juntos." Alex levantou e foi juntar-se à avó diante da janela. "Uma pedra? Você está de brincadeira. O que aconteceu com a mulher?" Ligia levantou a mecha que encobria sua testa e puxou o cabelo bem para cima, até que uma pequena cicatriz ficasse aparente. "Revidou."

Alex não podia acreditar que sua avó sisuda, fechada e monocromática tivesse sido uma rebelde capaz de atos impulsivos à luz do dia. Uma briga de rua entre duas moças no coração de Paris. O que mais ela esconderia? Isso sem mencionar que a questão de se relacionar com dois homens ao mesmo tempo era ainda mais intrigante. Não que Alex fosse propenso a julgamentos morais, mas uma coisa é a vida de quem não conhecemos, sempre mais fácil de descontextualizar. Outra é a da vovó introspectiva que assa croissants e foi casada a vida inteira com vovô. Havia ainda o fato de Ligia ter dificuldades de relacionamento com Chantal – Alex entendia que a situação não era simples, mas se Ligia havia sido capaz de romper com as convenções aos vinte anos, era de supor que ainda mantivesse a capacidade de compreender aqueles que se desviavam da ordem natural das coisas.

"Você realmente conseguiu me espantar, Alex. Achei que seu avô fosse mais discreto", disse Ligia.

"Ele não me contou nada."

Ligia olhou Alex sem entender.

"Estava zoando, vó. Quando você pediu para surpreendê-la, falei a primeira loucura que me veio à cabeça."

39

Se um dia escrevesse sua história, Ligia colocaria toda a temporada em Paris entre parênteses – olhava para trás como se aquele período da sua vida merecesse ser destacado. Foi uma longa imersão, na qual descobriu e desenvolveu sua sexualidade, sua identidade política e sua natureza individualista. Em Paris, havia aprendido a não subjugar seus desejos e a mergulhar para dentro de si, usando a arte como tubo de oxigênio. Desapegou-se da família que tinha ficado no Brasil e formatou a mulher que sonhava ser, utilizando para isso o amor e a intimidade com dois homens que deram a ela o suporte para se transformar no que era hoje, mas sem esquecer o período sombrio da infância, aquele tempo de austeridade nos modos, de contenção de gastos, de absoluto controle contra desperdícios de qualquer ordem, não apenas materiais, mas também de manifestações de afeto.

Desembarcou de volta ao Brasil em 1982, quando Nuno foi convidado para lecionar na Universidade

Federal do Rio Grande do Sul. Não imaginou que o retorno seria tão problemático. A tentativa de readaptar-se ao cotidiano brasileiro esgotava seus dias. A inadequação social era evidenciada a cada manhã em que levava Carlinhos ao maternal, em que passeava com ele em pracinhas ou em qualquer atividade onde encontrava outras mães com quem deveria se identificar, mas que, ao contrário, a faziam se sentir ainda mais estrangeira: o planeta maternidade tinha um vocabulário que Ligia não dominava, além de uma ausência inexplicável de malícia e uma resignação que ela não imaginava tão asfixiante. Amanhecia com dores no corpo, chorava por motivos bestas, não queria ver nem ser vista por ninguém, cada dia mais isolada em sua infelicidade. Deixara na França sua natureza questionadora e libertária, voltando a seu país de mãos dadas com um filho pequeno e com uma má vontade que ela não fez o menor esforço de reverter.

 Quando, aos 21 anos, Carlos decidiu assumir a condição de pai solteiro, Ligia dividiu-se entre a preocupação com o futuro da criança e um secreto alívio: não queria retroceder no tempo e ter que cuidar de outro bebê. Alex havia nascido por causa de uma insensatez, e mesmo sendo recebido pela família com um sentimento parecido com amor, havia certa resistência dos avós a uma entrega absoluta. Pouco depois de Alex completar três anos, o pai de Nuno faleceu, deixando para o único herdeiro uma boa quantia, suficiente para que eles comprassem a casa em Torre Azul, que vinham namorando em segredo. O casal não precisou de mais do que uma noite para decidir sobre o que fazer. Fecharam o negócio e Ligia insistiu, até certo ponto, em levar o neto para morar com eles, mas diante da firme negativa de Carlos, mudaram-se os dois para a praia com a consciência em paz e sossego na alma.

Parecia uma espécie de coma induzido. A solidão compartilhada com Nuno, os livros que preenchiam quase todas as horas do dia e o barulho intermitente das ondas a uma curta distância da casa eram sua segurança. Nada poderia demovê-la desse caminho rumo à aposentadoria definitiva da vida social e de vaidades constrangedoras. Havendo arte, silêncio e o mar, estava concluída sua biografia, não seriam necessárias páginas extras. Mas o desenrolar da trajetória de qualquer ser humano é regido por uma ordem cósmica e fortuita. Assim não fosse, Nuno ainda estaria vivo e Ligia ainda desfrutaria seus dias de plenitude em Torre Azul, intercalados pelas bem-vindas visitas de Alex, que, à medida que deixava de ser uma criança, tornava-se o melhor amigo que o excêntrico casal poderia desejar. Era toda a movimentação a que Ligia se permitia em sua tranquila existência à beira-mar, onde aquietou sua anarquia interna com o cenário desértico de uma praia habitada pelo vento e pelo frio de um inverno que se estendia para além do calendário. Quando o verão iniciava, Ligia nem cogitava colocar um maiô e se bronzear. Continuava caminhando bem cedo pela manhã ou quando o sol se punha, a fim de não se ver refletida nos óculos espelhados de veranistas que nunca entenderiam a sua fórmula de felicidade perfeita: um pulôver nos dias em que a maresia era quase palpável, o erotismo da pele branca em sua nudez nunca revelada, seu primitivismo protegido dos excessos explícitos, a parte seca da existência contrastando com a água infinita e exuberante, que convidava a reflexões profundas e outros tipos de mergulho.

Porém, já não era mais assim. Aquela Ligia que lhe soava tão superior agora vivia num apartamento de terceiro andar num bairro bem abastecido de pontos comerciais, voltava a interagir com pessoas por muito mais tempo que sua paciência suportava, e havia Rosaura – uma intervenção não programada em sua linha reta em direção à morte. Rosaura era tudo, menos fúnebre. Ligia não estava preparada para esta amizade que a estimulava a participar da vida de uma forma tão ativa. Pela primeira vez, ela tinha uma agenda repleta de compromissos.

As aulas de pilates, as traduções regulares e as demandas causadas pelo cotidiano do neto já não eram suficientes. Ligia estava, mais uma vez, e de forma inimaginável, subvertendo-se: quase ansiava por alguma atividade que a tirasse de casa, não porque o convívio consigo própria a estivesse cansando, mas porque estava descobrindo que havia mais de si mesma a explorar. Era um espaço interno, antes inacessível, que ela começava a locar para os estranhos que se interessassem por entrar na sua vida. Interagir era uma aventura nova, que a obrigava a atuar e a inventar uma fala. Se antes isso lhe parecia uma submissão à hipocrisia, começava a sentir certo prazer na coisa. O desafio era se revelar inventiva. Não que passasse pela sua cabeça mudar de personalidade, mas começava a entender o que significava "não se levar tão a sério", frase que até pouco tempo ela considerava mais uma tolice da literatura de autoajuda. Uma Ligia agradável estava fora de questão, mas ampliar o público de suas ironias poderia ser divertido. Estava aprendendo a dizer uma palavra que não saía de sua boca com facilidade: sim. Sim para as distrações triviais. Sim para o mau gosto de existir demais.

Por mais que reverenciasse o Louvre, era no Jeu de Paume que se refugiava em Paris: buscava a luminosidade dos impressionistas para aplacar o escuro do inverno europeu e de sua própria ausência de brilho. O acervo do museu localizado no Jardim das Tulherias só foi transferido para o Museu d'Orsay quando ela e Nuno já estavam de volta ao Brasil. E desde então não lembrava ter visitado museu nenhum, nem mesmo uma galeria de arte. Havia decretado luto pela perda do *savoir-vivre*, como se não tivesse mais o direito de alimentar seu espírito com as artes plásticas, que a obrigavam a sair, ao contrário dos livros, que podiam ser consumidos em casa. Mas um período mais afirmativo começava a se descortinar. Quando Rosaura chamou para uma tarde num shopping, Ligia estava pronta para responder com uma careta, adorava distribuir rejeições com a fisionomia, mas o convite incluía uma passadinha numa exposição que seria inaugurada no último andar do centro comercial, exclusivo para eventos. Desta vez, considerou. Talvez tenha ficado sensibilizada com a tentativa de Rosaura em pronunciar a palavra vernissage com um sotaque francês – reforçando o erre de uma forma muito carioca.

Para medonhos, os quadros não serviam. Ligia ainda procurava um adjetivo para classificá-los. O artista era bem-intencionado, mas ela percebia uma quedinha para a falsificação, como se ele iniciasse a obra imitando Pollock, mas a tinta houvesse terminado e tudo bem, que ficasse daquele jeito mesmo. Algumas telas não causavam nada além de sono, porém a maior delas, descomunal, em destaque numa parede, apresentava uma expressividade que fugia da mesmice. Rosaura percebeu que Ligia estava havia mais de cinco minutos diante daquele emaranhado de traços desconexos, numa espécie de transe, sem levar à boca o cálice que segurava. "Gosta disso aí?",

Rosaura perguntou, visivelmente desapontada com as peças à mostra. "Se comparado com o vinho que estão servindo, não é ruim", respondeu Ligia, ainda procurando um adjetivo.

40

Para justificar o deslocamento até o shopping, era imprescindível acrescentar ao programa uma ida à livraria que havia no andar térreo, e Rosaura só topou a condição imposta por Ligia porque estava ligeiramente embriagada: na ausência de cerveja, o vinho servido na exposição não tinha lhe parecido tão intragável assim.

    Ligia passeava entre as prateleiras da livraria como se estivesse num reino de conto de fadas. Parava a cada passo a fim de observar a capa de um exemplar, ler a orelha de outro ou simplesmente matar a saudade de algo que já tinha lido no passado. Conhecia todos os autores, afora um ou outro brasileiro estreante nas letras. "Já leu este?", perguntou Ligia, mostrando a Rosaura uma edição de Benoîte Groult, cujo título era *Um toque na estrela*. Rosaura interpretou a pergunta como uma provocação e não respondeu. Surpreendente seria se ela, além de ter lido, se pusesse a dissertar sobre a autora, mas não tinha a mais vaga ideia de quem era a tal Benoîte e nem aquele mundaréu de gente que escrevia tanto. Livrarias eram ambientes bonitos, Rosaura reconhecia, mas começava a se sentir entediada. A "passadinha" proposta por Ligia estava durando mais tempo do que o combinado, e Rosaura só não bateu em retirada porque começou a se entreter com um homem atraente que estava a poucos metros de distância e que parecia interessado na dupla de amigas. Antes que Rosaura pudesse alertar Ligia sobre o assédio iminente – e desejado –, ele materializou-se diante de ambas com uma conversa adiantada, dispensando cumprimento ou apresentações.

"Ótima escolha. Li semana passada e não consigo tirar a personagem da cabeça. Uma bela mulher que extrai o melhor da maturidade", disse ele com os olhos fixos em Ligia e no livro que ela segurava.

"Eu sei. Fui eu que traduzi", ela respondeu com a secura peculiar.

Rosaura não iria perder a oportunidade. O homem era um pedaço, tinha apenas dois fios grisalhos quase imperceptíveis e certamente estava usando Ligia para aproximar-se da mais jovem e apetecível da dupla, como um cauteloso estrategista faria. Como tempo é algo que não se desperdiça, Rosaura resolveu facilitar a vida do moço, entrando de sola no diálogo entre os dois: "Incrível, você ainda não precisa de óculos. Que outras raridades você esconde?".

Só então ele percebeu sua presença. "Perdão?"

"Você leu o título do livro dali onde estava, a uns seis metros de distância. Você é quem, o super-homem?"

"Eu uso lente", ele respondeu, dando o assunto com Rosaura por encerrado e voltando a dar atenção a Ligia. "Então é você mesma. Fui aluno do professor Nuno no primeiro ano de Ciências Sociais, e juro que não foi ele que me fez desistir do curso. Como ele está?"

"Ótimo", respondeu Ligia, deixando Rosaura com a expressão de quem estava testemunhando uma conversa de doidos.

"Ótimo", ele repetiu, e retirou a carteira do bolso de trás da calça, abrindo-a e procurando o que Rosaura cogitou ser uma nota de dinheiro, mas ele tirou dali um cartão de visitas que Rosaura não titubeou em agarrar antes de Ligia. A rapidez do gesto de Rosaura não resultou em comentário algum, mas o sujeito farejou a encrenca. Fez um aceno elegante de cabeça para Ligia, a título de despedida, e se afastou rumo a uma prateleira escondida naquela floresta encantada.

"E eu marcando passo no Tinder", resmungou Rosaura, enquanto observava o cartão. "Marcelo. Advogado. Se você não ligar para esse bofe, eu ligo."

Ligia não disse nada. Calmamente resgatou das mãos de Rosaura o cartão que, afinal, era seu.

41

As inúmeras tentativas de realizar o mapa astral de Ligia vinham batendo contra a parede: a tradutora de francês não queria saber de ter a alma investigada. Mas aquela não havia sido uma tarde como outra qualquer, e deve ter sido por isso que Ligia se sentiu predisposta a dar uma chance aos astros. Ao procurar a chave na bolsa para abrir a porta do seu apartamento e se despedir de Rosaura, não opôs resistência ao ser arrastada para o apartamento da vizinha. "Hoje você não me escapa", Rosaura ordenou, puxando Ligia pela alça da bolsa.

A janela aberta na sala revelava que o dia dera lugar a uma noite estrelada. O abajur em forma de sol inca foi aceso, e em seguida Rosaura acendeu um incenso meio fedorento que nada tinha a ver com a ocasião, era uma forçada de barra para dar um clima esotérico à sessão. "Como é que você descobriu a data do meu nascimento?", Ligia perguntou.

A vizinha metida a aristocrática e cheia de manias andava com boa disposição, pensou Rosaura antes de responder. Estavam juntas desde as cinco horas da tarde e passava das oito. Haviam bebido juntas aquele troço amarelado na exposição, conhecido juntas um cavalheiro galante, já poderia tratá-la feito uma comadre. "Você está com medo de que eu revele sua idade para o advogado gostoso, confesse." Abriu o notebook e deu umas marteladas no teclado. "O Alex me deu o serviço completo: hora, dia, mês e ano da sua estreia no universo, Ligia. Não sei como ele sabia a hora exata."

"Exata mesmo", Ligia confirmou: "Meia-noite em ponto. A família sempre fazia troça disso. Ninguém conseguia definir se eu fazia aniversário um dia antes ou um dia depois deste horário tão rígido". Rosaura não perdeu a chance: "A rigidez vem de berço, então". Ligia assentiu, jocosa. Estava gostando de resgatar mundanidades a seu respeito. "Devem ter pressionado o médico para se decidir, e ele acabou dando uns segundos de vantagem para o dia seguinte, 13 de agosto. Uma sexta-feira. Alex, quando pequeno, me chamava de vovó bruxa por causa disso, ainda mais que eu sempre gostei de usar preto. Se bobear, nasci durante a lua cheia." Rosaura colocou os óculos de grau e deu mais umas marteladas no teclado, enquanto analisava a posição dos astros na tela. "Era lua crescente. Mas nasceu mesmo numa sexta-feira 13. Se fosse em 31 de outubro, seria um perfeito Halloween." Ligia olhou em volta e suspirou, torcendo para que o assunto não enveredasse para festividades absurdas.

"Isso não começa?"

"Calma, o equipamento está esquentando. Tenho que comprar um notebook novo."

"Você não deve ter um vinho decente aqui. Sobrou uma garrafa aberta do jantar de ontem, vou ali em casa buscar."

Rosaura pressentiu o risco, precisava dar um motivo para fazê-la retornar. "Esteja aqui em três minutos, senão vou cobrar pelo menos metade da consulta. Você sabe quanto custa fazer um mapa astral? As pessoas acham que é dinheiro jogado fora, mas é uma das melhores formas de se buscar autoconhecimento, sabia? Tem gente que busca na religião, na terapia, sei lá onde, mas aqui o caminho é mais curto, aqui você descobre sua essência e consegue bolar estratégias de sobrevivência – não é pouca coisa, minha cara. Você já descobriu qual é a sua energia inevitável? Todo mundo tem, e é bom saber qual é a sua para poder se perdoar pelas besteiras que já fez e continuará fazendo. Para chegar nela, eu preciso fazer um estudo bem completo da carta natal do cliente. Fiz um curso profissionalizante, não pense que isso aqui é como pegar um baralho e sair chutando. Tem muito charlatanismo aí fora, você não faz ideia. Eu levo a sério meu ofício. Não é adivinhação, não é magia, não tem truque nem nada que pareça conto do vigário ou feitiçaria. A bruxa é você, isso aqui é científico." Neste meio-tempo, Ligia já tinha ido e voltado.

Era pouco o vinho que havia restado na garrafa, por sorte Rosaura o recusou. Ligia serviu para si mesma um cálice e levou o vasilhame vazio até a cozinha, surpreendida por circular por aquele apartamento como se o conhecesse bem. Então retornou à sala e acomodou-se. Deu um gole comprido. Aguardou. Rosaura estava exultante. Já havia feito uma análise do mapa dias antes e não via a hora de narrar as revelações para sua cliente.

"Preparada? Ligia, você tem o sol em..."

"Por favor, direto ao diagnóstico clínico."

"Deixa ao menos eu dizer qual é o seu ascendente."

"É Capricórnio. Sei desde os dezesseis anos, alguém no colégio brincava com essa bobagem também."

Rosaura suspirou.

"Ligia, seu nome é rigor. Odeia tudo que é superficial. Foi uma criança obediente, não deu trabalho aos seus pais, mas quando ficou independente abriu espaço para a rebeldia e passou a criar suas próprias leis."

Ligia gostaria de manter um semblante zombeteiro, mas não conseguiu disfarçar a simpatia pelo que começou a escutar, parecia um retrato falado.

"Leva tudo com muita seriedade, principalmente no que se refere a atividades profissionais, tarefas e obrigações. É bastante comprometida. Infelizmente, é durona no emocional também. Possessiva. Excessiva. Há dentro de você uma pulsão que assusta, que lhe deixa apavorada. Você tem medo da intensidade dos seus sentimentos e dos seus impulsos, por isso tenta manter algum controle sobre as suas reações. É mulher de poucos amores, mas profundos."

Ligia foi obrigada a interromper. "Poucos?" Mostrou dois dedos em direção a Rosaura, como se estivesse fazendo o gesto de paz e amor.

"Só dois?" Rosaura bateu três vezes na madeira. "Obrigada, Senhor, por eu ser uma piranha." A descontração da amiga foi fazendo Ligia relaxar. Rosaura concluiu: "Ao menos foram dois ao mesmo tempo. Essa perversão reconduz você ao posto das mulheres com uma vida interessante". Ligia ergueu a taça no ar, fazendo um brinde solitário, e bebeu mais um gole.

"Sua casa é seu refúgio. Não parece, mas você é simples em suas exigências. Não tem paciência para performances. É muito, muito crítica. Agora vem a melhor parte: você está em processo de transformação. Posso ver claramente no seu mapa. Está entrando num período renovador. Júpiter, o planeta da fortuna e das boas notícias..." Ligia deu um longo e último gole, pousando o cálice à mesa e fechando o notebook de Rosaura com uma determinação quase grosseira, mas não intencional.

"Projeções, nem pensar. Não seja estraga-prazeres."

42

Há quantos mil anos não entrava num salão de beleza? Na época em que morava na terra dos *coiffeurs*, o dinheiro era curto para frivolidades. Ligia não tirava a cutícula, nem pintava as unhas. O cabelo era cor de caramelo, e ao voltar ao Brasil, quando os fios brancos começaram a aparecer, aprendeu a aplicar em casa um tonalizante barato que comprava na farmácia. Ia ao cabeleireiro apenas para aparar as pontas, coisa que havia tentado fazer sozinha certa vez, com resultado desastroso. Eram recordações amareladas pelo tempo. Deixou de ser jovem e não se importava com o surgimento das rugas e marcas de expressão, até porque, se comparada com outras mulheres, a genética lhe tinha sido favorável e o rosto não despencara, era uma senhora bonita em sua naturalidade e firmeza de caráter. Mas iria ao encontro de um homem praticamente desconhecido e sentiu despertar dentro de si o instinto da fêmea que se rende a algumas regras do jogo erótico: fazia tempo que não se depilava.

Enquanto aguardava ser chamada pela profissional com quem havia marcado hora, folheava uma revista de moda. "Em um segundinho a senhora será chamada, a esteticista está terminando o buço de outra cliente." Ligia não respondeu nem agradeceu a intervenção da recepcionista. Continuava virando as páginas da revista com visível desprezo, as matérias pareciam afrontosas, não via nada ali que pudesse ser considerado usável por uma pessoa que prezasse a discrição. Ainda não havia atingido a inteligência elevada de quem considera a moda uma forma contemporânea de expressão. Ligia começava a vestir cores menos eclesiásticas, mas nada que se comparasse à foto que estava vendo: uma manequim esquálida a bordo de um macacão azul-turquesa, sob uma camisa laranja com ombreiras pontiagudas e um cinto lilás na cintura, posando em meio à vastidão do que parecia ser o deserto do Atacama. Enquanto tentava adivinhar a razão de terem escolhido uma paisagem árida para fotografar uma roupa tão inapropriada para o ambiente (o contraste, que era para ser a "sacada" do editorial, lhe parecia uma estratégia subdesenvolvida), mal percebeu a porta da sala da esteticista abrir. Lá de dentro, saiu uma senhora que Ligia julgava conhecer, mas não lembrava de onde. Então foi chamada pelo nome, largou a revista sobre uma mesinha e só quando já estava deitada, com a saia arregaçada e as pernas livres para o procedimento, lembrou que a cliente anterior era a diretora do colégio de Alex. Chegou a sentir um ínfimo segundo de remorso, misturado a uma vingança interna e silenciosa. Seu bullying tivera um resultado exitoso.

As atendentes eram atenciosas e Ligia deixou-se convencer a lavar o cabelo e escová-lo também, menos por vaidade e mais para tentar se libertar da escravidão da pontualidade. Mas não queria ter se atrasado tanto. Saiu do salão apressada e foi direto para o hotel. Quando entrou no lobby, estranhou o requinte: para ela, ostentação era atributo de palácios. Chegou a se questionar se ele estaria mesmo hospedado naquele lugar de lustres monárquicos ou se o hotel havia sido escolhido apenas como um ponto de encontro sem segundas intenções. Advogados costumam ser práticos, a dúvida não procedia, dali a poucas horas era bem provável que ela estivesse subindo pelo elevador rumo a uma suíte. Sentia-se segura por hábito, não porque antevisse o que lhe aguardava – nunca havia passado por situação semelhante, conhecia o enredo apenas através dos filmes.

O concierge indicou o caminho do bar. Não havia muita gente. Dois executivos conversavam em voz baixa, cada um acomodado em uma poltrona de couro preto, com uma pequena mesa entre eles. As outras poltronas estavam desocupadas. Ao fundo, havia um bar com prateleiras iluminadas, expondo toda espécie de garrafas coloridas. Ele estava sentado junto ao balcão e tomava uma água com gás. Parecia calmo, não consultava o relógio, não segurava um celular, não olhava para os lados. O atraso proposital, o primeiro de sua vida, fez Ligia pensar que talvez estivesse se tornando uma mulher ridícula, mas era tarde demais para se arrepender. Aproximou-se com delicadeza e sentou-se na banqueta ao lado.

"Achou que eu não vinha?", perguntou, reconhecendo como estava destreinada para flertes.

"Quinze minutos de atraso não é desistência, é charme."

Sentiu-se nua antes da hora. Calou. Não sabia onde colocar as mãos. Nem as palavras. Precisava com urgência beber um cálice de vinho. Ele não parecia ter pressa. Depois de um silêncio que pareceu infinito em seus vinte segundos, Ligia resolveu assumir o papel que sempre fora dela, o de comandante dos movimentos.

"Vamos pedir alguma coisa?", sugeriu.

Ele se virou para ela com uma malícia divertida nos olhos. Assentiu levemente com a cabeça e fez um aceno para o barman. "A conta!"

43

O quarto não era tão elegante quanto o lobby, mas o carpete estava limpo e em bom estado. O espelho, pendurado na parede oposta à cama, tinha uma moldura de gosto contestável, em dourado fosco, mas os lençóis eram brancos e de qualidade, e a poltrona bergère ao lado da janela dava ao ambiente um toque de aconchego, como se aquele não fosse apenas um local para dormir. E, de fato, ninguém parecia com sono.

Não foi difícil tirar a roupa. Havia escolhido um sutiã que não era vermelho nem preto, as cores que uma mulher provavelmente escolheria para a ocasião, e sim cor de cobre, que lhe pareceu mais distinto – a distinção pode ser subversiva se comparada à óbvia vulgaridade de jovens excitadas. Tirou a blusa e manteve-se com a saia. Já havia facilitado demais para aquele moço que também se desvencilhara da camisa e estava com o torso nu. "Você é bem bonita." Ela gostou de ouvir, mas não queria parecer muito lisonjeada. "Na sua idade, pode estar me dizendo isso por misericórdia." Ele pegou a mão dela e a puxou para perto. Abraçaram-se com ternura, ainda. Ela aproveitou para sussurrar em seu ouvido: "Trouxe um convidado". Ele a soltou, sem entender. "Seu ex--professor", completou.

Ele sorriu com indulgência, como quem sorri de uma piada sem graça. "Ele morreu. Melhor deixá--lo fora desse encontro." Abraçou-a com mais pegada desta vez, para não esticar o assunto, mas Ligia olhou por cima do ombro de seu amante e avistou Nuno sentado na bergère, no canto do quarto, de pernas cruzadas, olhando para ela com a cumplicidade que sustentou a relação do casal por tantos anos. Nuno, o homem generoso que nunca julgou, condenou ou sabotou o prazer das pessoas que amava. Com os olhos ainda fixos na imagem que estava projetando – a do marido que sempre soubera tudo sobre sua vida sexual –, Ligia deu uma mordida no ombro do homem que a abraçava, incentivando um revide.

E ele veio. Violento e com um tesão que exalava um cheiro que Ligia desconhecia. Seu terceiro homem, um homem de passagem, um homem qualquer que ela nunca supôs que fosse intrometer-se brevemente em sua trajetória, ela que insistia em acreditar que todas as suas páginas biográficas já estavam escritas. No entanto, ninguém pode virar as costas para os acontecimentos que se impõem pela sequência dos dias, e assim foi: lá estava ela, gozando o privilégio de desfazer-se, divertir-se, como se tivesse recebido autorização para inaugurar uma nova versão da mesma vida.

Não estava nos planos passar a noite fora, mas o cansaço neutralizou sua energia e Ligia acabou adormecendo ao lado daquele estranho – uma mulher precisa passar por esse clichê ao menos uma vez. Acordou com o barulho da chuva batendo no vidro da janela, a cortina não havia sido fechada na noite anterior e o ambiente do quarto começava a clarear. Ele não estava na cama, e sim no banheiro, com a porta entreaberta, falando ao celular num tom baixo, mas não o suficiente. "A reunião acabou tarde, fiquei sem bateria de novo, acredita? Mas pego o voo daqui a pouco e almoço com você. Tá. Também te amo." Ligia estava deitada de lado e de costas para a porta do banheiro. Ele voltou sorrateiro e sentou-se na cama. "Meu celular também é uma porcaria", disse ela, sem virar-se. Percebeu que ele se assustou, imaginava que ela estivesse dormindo ainda. Levantou-se muito rápido, decidido. "Vou tomar uma chuveirada." Fechou a porta do banheiro sem nenhuma suavidade.

Quando ele saiu do banheiro com a toalha enrolada na cintura, Ligia já estava vestida e se distraía com o celular. O celular dele.

"Bonitona sua mulher. Loira, seca. Quantos anos? Trinta? Trinta e dois?"

Primeira vez que transava com um homem mais jovem e com quem não tinha trocado mais do que algumas frases. Essas aventuras costumam ser fantásticas quando viram narrativa, mas raramente ultrapassam a barreira da melancolia. Ainda assim, havia sido excitante, considerando a circunstância. A maturidade compensa a ausência de uma pele vigorosa, traz vantagens adicionais, como o adeus ao pudor. No entanto, divertido mesmo estava sendo atender à sua vontade incontrolável de ser um pouco má. Já não estava sendo cínica, e sim maldosa. De onde vinha a pulsão para atazaná-lo? Não podia ser por um ciúme que verdadeiramente não sentia, ele não tinha obrigação de avisar que era comprometido, em nada teria alterado o desejo de Ligia.

Ele esticou a mão para que ela devolvesse o telefone, e ela fingiu que entregaria, mas deixou o aparelho cair no chão de propósito e, não satisfeita, pisou sobre ele com os três centímetros de salto que havia ousado calçar para causar boa impressão – impressão, obviamente, agora revertida. Enquanto ele se ajoelhava para juntar as peças soltas e esbravejava meia dúzia de palavrões, Ligia foi até Nuno, conseguia visualizá-lo como se ele estivesse lendo um livro em sua poltrona favorita, numa tarde tranquila em Torre Azul. Ela agachou-se, amparando-se no braço do assento. "Nem sempre você viu tudo que eu fiz, Nuno." Sentiu o olhar amoroso dele e continuou a conversa que se desenrolava dentro de sua cabeça. "Você me perdoaria se eu tivesse cometido uma insanidade?" Nuno jamais a havia censurado, mesmo quando não concordava com as atitudes impulsivas e individualistas da esposa.

"Liberte-se, Ligia. De vez." Era a voz de Nuno ajudando-a a se recompor e dar rumo à vida. Ela ficou em pé novamente, pegou sua bolsa, espalmou a saia e se aproximou do advogado, que deu dois passos para trás, apavorado, mas não fugiu. Ligia tirou de dentro da bolsa seu celular velhinho, que servia de quebra-galho, e entregou a ele. "Toma, fica com o meu." E saiu sem se importar com a chuva que ainda caía.

44

A vida é o que acontece durante o marasmo dos dias, na rotina diária de uma mulher como as outras. Ligia, encharcada, passou em casa para um banho quente e, tendo a chuva cessado no meio da manhã, resolveu buscar Alex na saída da escola para almoçarem juntos em algum restaurante, já que Juliana havia retornado em definitivo para Torre Azul – o dono da oficina, com quem ela namorava há exaustivos onze meses, havia feito um pedido de casamento e Juliana não pensou duas vezes antes de aceitar, apesar de lamentar deixar Ligia lidando sozinha com as tarefas domésticas. Lamento desnecessário. Ligia sentiu certo alívio com a decisão de sua funcionária. Apesar de gostar da menina, gostava mais ainda de circular livremente pelo apartamento, sem precisar interagir. É bem verdade que já não sentia repulsa pelo costume brasileiro de se manter laços afetivos com qualquer pessoa que ocupasse o mesmo recinto, mas a solidão ainda lhe parecia a companhia ideal. Isso não valia para Alex, que era seu hóspede e logo retornaria para sua própria casa. Era preciso aproveitar a proximidade com esse garoto que, nos últimos meses, havia se emancipado em definitivo da infância e se tornado um adolescente posicionado, atento e que começava a defender sua independência, valor pelo qual Ligia nutria especial respeito.

Preferiu ficar no outro lado da calçada, de frente para o portão. Deu três espirros sequenciais. Viu quando Alex apareceu acompanhado de dois rapazes e uma moça, prováveis colegas de aula. A cena deixou Ligia satisfeita, o ambiente no colégio estava menos hostil e Alex demonstrava ter mais interesse em ir às aulas, se bem que o motivo talvez fosse outro. A garota era ajeitadinha.

Os dois colegas se despediram de Alex e seguiram seu trajeto, a moça ficou mais alguns segundos. Trocaram um selinho e ela se foi também. Alex já tinha reparado na avó esperando em frente. Atravessou a rua para ir ao seu encontro. Abraçou Ligia com carinho. "Não dormiu em casa?", perguntou ele. Ligia passou a mão no cabelo do neto, ele estava ficando um homem bonito. "Cheguei tarde e saí muito cedo, não quis acordar você." Começaram a caminhar com vagar, o restaurante ficava a três quarteirões. "Achei que você ia me apresentar a Tina", disse Ligia antes que Alex fizesse mais perguntas sobre a noite anterior. "Aquela não é a Tina, é a Pati." Ligia ficou no aguardo de novas informações, mas Alex não mencionou mais nada, desencorajando um interrogatório. Retirou o smartphone do bolso e começou a mexer no aparelho, de onde saía o som de tiros e outros barulhos não identificáveis. "O que você está olhando aí?", perguntou a avó. "É um game de terror. Você não vai gostar, não é preto e branco." Ligia riu e retirou o celular da mão de Alex. Era uma animação com zumbis que tinham os olhos injetados de sangue, e Ligia ficou tão entretida que por pouco não colidiu com um poste junto ao meio-fio, Alex teve que puxá-la pelo braço para desviá-la. Mais alguns passos e Alex reparou que Ligia, ainda com os olhos grudados no game, iria esquecer de virar a esquina, teve que puxá-la de novo. Nunca havia visto a avó tão avoada. Ligia devolveu o celular para o neto, desdenhando dos espíritos do mal. "Isso assusta você?" Alex ainda estava surpreso. "*Isso* não. Mas você está bem esquisita."

À tarde, Alex avisou que iria se encontrar com uma amiga e desapareceu. Ligia aproveitou para ir a uma loja comprar um novo celular, já que havia feito a boa ação de doar o seu para aquele homem que, àquela altura, já devia estar na cidade em que morava, nos braços da sua Barbie. Não fazia ideia de que modelo escolher, precisava de uma assessoria dedicada, e torceu para que o funcionário de camiseta e calça preta que veio ao seu encontro fosse paciente. "No que posso ajudar?" Ligia deu uma resposta que julgava original, sem supor que era o mesmo discurso de todos os cidadãos da terceira idade. "A me devolver para a vida, fui deletada." Usar o verbo deletar fez com que se sentisse uma expert em tecnologia, mas quando o rapaz deu prosseguimento ao diálogo – "Quantos gigas de memória?" – descobriu que a tarde seria longa. Só na instalação de aplicativos, gastaram no mínimo uma hora. Ela havia chegado à loja sabendo bem o que desejava do equipamento. Queria conectar com o seu banco, checar a meteorologia, usar o alarme para despertar, ter WhatsApp, Facebook, escutar música, ler o jornal e quem sabe até acessar os mesmos games que tanto divertiam Alex. Prometeu uma boa gorjeta para o atendente, que recusou, estava exercendo o seu trabalho, mas quando a tarde caiu e começou a escurecer lá fora, ele já estava arrependido de sua abnegação. Os demais clientes entravam e iam embora, enquanto Ligia continuava recebendo uma aula completa. Três cafezinhos depois, saiu de lá entendendo quase tudo.

 Mais tarde, quando o filme que assistia na tevê estava na metade, escutou o barulho de uma chave na fechadura. Ligia pausou com o controle remoto. Alex entrou devagar, seguido por uma preta esguia, muito bem-vestida – poderia ser uma modelo de passarela. "Oi, vó. Essa aqui é a Nanda." A garota era reservada, fez apenas um aceno com a cabeça. "A gente vai estudar ali no quarto", avisou Alex, desaparecendo no corredor. "Daqui a pouco levo um lanche para vocês", Ligia ofereceu. "Precisa não. A gente comeu na rua."

    Ligia retomou o filme, mas perdeu a concentração. Um hip-hop em alto volume começou a vazar do quarto de Alex. Alto demais para quem precisava estudar. Ligia desistiu do filme e foi para a cozinha preparar um lanche, deu-se conta de que estava com fome. Abriu um vinho, preparou uma omelete de cogumelos e dedicou-se a seus pensamentos, desligando-se do que acontecia no resto da casa. Só voltou a perceber que não estava sozinha quando começou a escutar uma música lenta da qual gostava muito, mas não lembrava de jeito nenhum quem é que cantava. Não lembrava nem mesmo onde a havia escutado antes, talvez no rádio do carro ou no bar do hotel. A canção vinha do quarto de Alex. Surpreendeu-se com aquela repentina afinidade musical com o neto – talvez a top model estivesse sofisticando o garoto. Foi quando se lembrou do celular novo. Apagou a luz da cozinha e correu para a sala. Tirou o celular da bolsa como quem pega um bebê recém-nascido. Era a hora de checar se havia mesmo prestado atenção nas instruções do moço da loja. De todos os aplicativos que ele havia instalado em seu aparelho, ela julgava que aquele seria o menos proveitoso, nunca imaginou que viria a ser o primeiro a experimentar. Caminhou pé ante pé até a porta fechada do corredor.

Não queria parecer bisbilhoteira. Imóvel, quase sem respirar, ergueu o celular e tocou levemente no ícone azul onde havia um S branco no centro. Shazam! Em poucos segundos, recebia a informação: "Love is a losing game", Amy Winehouse. Seguiu direto para seus aposentos, excitada por ter dado uma utilidade à sua recente aquisição. Agora era a vez de programar o alarme para acordá-la na manhã seguinte.

45

O alarme do celular a despertou às sete horas. Ligia vestiu um roupão sobre a camisola e caminhou em direção à cozinha, passando pela porta do quarto de Alex, que continuava fechada. O silêncio do apartamento era absoluto. Preparou o café e ficou fuçando em seu brinquedo digital, sentada junto à bancada. Não viu o tempo passar, só tirou os olhos do aparelho quando Alex surgiu por trás dela e lhe deu um beijo. "Tô com tanta fome que comeria um naco da lua", disse ele. Ligia teve a impressão de que seu neto havia crescido uns três centímetros da noite para o dia, e seus ombros pareciam mais largos por baixo da camiseta. Onde estaria a garota? "A Pati...", começou a dizer, mas foi interrompida. "Nanda. Ela já foi." Ligia retirou a forma de inox que estava dentro do forno. "Estudaram bastante?" Alex apenas assentiu com a cabeça, sem encarar a avó. "Estudar abre o apetite", disse Ligia tentando atraí-lo com o olhar, mas Alex continuava disperso, servindo-se de suco.

"Muito", foi o máximo que concedeu. Ligia retirou os croissants que estavam sobre a forma, ainda quentes. Colocou três sobre um prato e o entregou para o neto. "Seu naco de lua." Alex avançou nos pães e Ligia também escolheu alguns para si. Estavam ambos de boca cheia, comungando da intimidade matinal, aquele momento em que nada ainda deu errado e se acredita que o dia será simplesmente bom. "Tem pensado no vô?", perguntou Alex enquanto abria o forno em busca de mais comida.

"Ele está sempre comigo." Ligia suspirou. "Não dói mais."

Alex continuou a mastigar com vontade, estava mesmo com fome. Ligia observava o neto com admiração. "Você está crescendo, meu querido." Alex engoliu um croissant inteiro com apenas duas dentadas. Ligia resolveu imitar o neto e abocanhou um pedaço enorme, como se não comesse há dias. "Você também", disse Alex.

"Eu o quê?"

"Está crescendo."

O clima de brincadeira serviu de introdução para um assunto mais sério. Alex retirou seu celular do bolso da bermuda do pijama. "De madrugada entrou mensagem da mãe. Ela sempre esquece o fuso."

Ligia levantou as sobrancelhas, apenas as sobrancelhas, resistindo ao impulso de levantar o corpo inteiro e levá-lo para fora da cozinha. Alex aproximou a

tela do rosto de Ligia, e ela não virou a cabeça, manteve-se firme. Visualizou a mensagem de Chantal para Alex. "*C'est fini.* A turnê foi um sucesso. Chego no próximo sábado. Saudade."
    Era quinta.

46

Na última vez que havia estado naquele apartamento, ainda se chamava Carlos. Então, um dia se assumiu como Chantal e nunca mais conviveu com os pais nas poucas vezes em que eles apareciam em Porto Alegre, era como se tivesse uma doença contagiosa. Eles buscavam o netinho para um passeio e o devolviam sem entrar nem para dez minutos de conversa, apenas davam um alô protocolar. Agora que Alex podia pegar um ônibus sozinho para visitar os avós, os protocolos haviam sido suspensos: os encontros eram agendados entre as partes interessadas, deixando Chantal fora da negociação.

    Lembrava que o apartamento era escuro. Dessa vez, achou mais bem iluminado, talvez as cortinas tivessem sido trocadas. Estranhou as flores coloridas no vaso, em cima do aparador, sua mãe não era de gastar com supérfluos. Ao menos continuava recepcionando as visitas com café – por hábito, não por gentileza.

No dia que desembarcou, Chantal comentou com Alex que havia trazido algo para Ligia, imaginando que o garoto é que faria a entrega para a avó. Não passou por sua cabeça que seria convidada para uma visita dali a poucos dias. Essa mudança de comportamento era outra novidade, mas agora que estavam diante uma da outra, conformou-se: nada havia mudado tanto assim. O diálogo entre as duas se mantinha difícil, travado. Chantal ficara sabendo sobre a reunião de Ligia na escola de Alex e que o resultado tinha sido bom. Fez algumas perguntas a respeito do caso, mesmo tendo conhecimento antecipado das respostas, e quando o assunto esgotou, o jeito foi falar de si mesma, que Ligia aguentasse.

"Era um sonho pretensioso e... *voilà*." Empunhando o celular, Chantal mostrou a Ligia a foto de um cartaz, colado a um muro de um bulevar parisiense, que anunciava o espetáculo de Chantal Ferrand – com uma foto de seu rosto e seu nome em destaque. Ligia não demonstrou grande animação. "Já tinha visto no Face." Chantal guardou o celular na bolsa e colocou a mão no peito, fingindo levar um grande susto. "Você no Facebook!!" Ligia não deu bola, estava mais impressionada com o longo comprimento das unhas vermelhas de Chantal, que contrastavam com o vestido roxo. "Pena que atrasada, mãe. Facebook é pré-história." Ligia preferiu não comentar a extravagância das cores usadas pela artista à sua frente. "O que é moderno agora? Me conte", provocou. "Moderno é tolerância. Respeito. Pretende passar o resto da vida me olhando dessa forma arrogante?" Ligia cruzou as pernas de uma forma teatral e se acomodou melhor no sofá. "Não estou a fim de brigar. Fale mais sobre Paris. O que você fez além de cantar em boates vagabundas?"

Chantal baixou a cabeça. Balançou-a em negação e sorriu por desistência. "Me pergunto como posso ter tido uma mãe tão simpática." Ligia respondeu sem pensar. "A simpatia dela não era lá essas coisas."

Antes mesmo que Chantal pudesse retrucar, Ligia levantou-se rápido do sofá e pegou as duas xícaras de café, já vazias, a fim de levá-las para a cozinha e interromper a continuidade do assunto, mas estava trêmula e deixou a louça cair no chão. Espatifaram-se. Ligia colocou as mãos na cabeça ao ver o estrago. Ralhou com Chantal como se ela fosse uma criança: "Olha o que você fez!". De um minuto para o outro, parecia que um vendaval havia entrado pela janela e revirado o ambiente. O coração de Chantal começou a bater mais rápido. "Eu?? O que *você* fez!"

Ligia estava zonza, dava dois passos para o lado e voltava, queria sumir dali, mas não conseguia sair do lugar. Gritava palavras sem sentido, descontroladamente. Chantal foi até a cozinha buscar uma vassoura, não sabia onde era guardada, encontrou uma atrás da porta da área de serviço, mas antes de voltar à sala se encostou contra a parede, respirou fundo, confusa. Não entendia o que estava acontecendo e não sabia se queria entender. Ao retornar, encontrou Ligia agachada, juntando os cacos com as mãos, os cabelos desalinhados. Chegou a tempo de vê-la cortar um dedo e chupar o sangue. "Larga isso, você está alterada, mãe." Ligia largou os cacos no chão novamente, afastou-se, mas não disfarçava sua raiva. "Você é muito sensata, não é? A normal da família. Nunca fez uma maluquice, nunca!" Chantal varreu os cacos que estavam espalhados, juntou-os num canto, saiu para buscar uma pá. Sentiu uma repentina vontade de chorar. Ligia olhava fixo para os cacos, parecia uma louca. Chantal retornou com a pá, varreu todos os cacos, levou a pá de volta para a área de serviço, embrulhou os cacos nas páginas que arrancou de uma revista velha, contou até dez, até vinte, jogou o embrulho numa lixeira, recolocou a vassoura atrás da porta, rezou para que a mãe tivesse se acalmado, retornou à sala e encontrou Ligia ainda de pé, mas calada. Tentou contemporizar. "Não acredito que ainda estamos nessa discussão antiga. Não fiz nenhuma maluquice. Muita gente não se reconhece no gênero que nasceu e troca de sexo."

 Ligia caminhou lentamente até o aparador onde, além das flores, havia uma garrafa de vinho lacrada e outra que já havia sido aberta, provavelmente na noite anterior. Ligia pegou a que já havia sido aberta, puxou a rolha com a mão e buscou um cálice. Chantal olhou para o relógio: 16h34. Ligia despejou no cálice todo o resto do conteúdo da garrafa e deu um longo gole. "Pois a troca que eu fiz *foi* uma maluquice, e das grandes, não tem muitos exemplos por aí." Deu outro gole e então começou a rir. A rir muito. Chantal não sabia como lidar com o histrionismo da dona da casa e imaginou que viria mais agressão pela frente. Pegou sua bolsa e enfiou a alça até o ombro, preparando-se para ir embora, mas o vinho tinha dado a Ligia novo vigor. "Não queria uma discussão nova? Senta aí." Chantal estava exausta de ser achincalhada. "Volto quando você aceitar quem eu sou." Passou rente pela mãe em direção à porta, mas Ligia a segurou firme pelo braço. "Você não sabe quem é, mas eu vou te contar."

47

O incômodo não era pelo fato de estar sozinha em Paris, isso nunca havia sido um problema, gostava de passar alguns períodos na companhia de si mesma. Mas sabia que Nuno ficaria inconsolável quando recebesse o recado. Ele adoraria estar ao lado dela, porém Ligia não tinha poderes premonitórios, jamais supôs que a bolsa se romperia três semanas antes do previsto. Quando se deu conta de que o bebê iria nascer, só teve tempo de pedir ajuda para um vizinho que tinha carro e que de mau humor a levou para o hospital, se queixando da sujeira no banco e ameaçando cobrar a conta da lavagem. Nem mesmo teve a delicadeza de acompanhá-la até a porta da maternidade, arrancando com seu Citroën caindo aos pedaços assim que Ligia desembarcou.

    Tomada pelas contrações e pelo nervosismo, Ligia não lembrou de pedir ao vizinho que tentasse avisar Nuno, que naquele instante devia estar chegando em Avignon depois de nove horas dentro de um ônibus para assistir a uma palestra de Pierre Bourdieu, o sociólogo a quem mais admirava. Jerôme, igualmente, estava no sul do país, na Provence, em visita aos pais. Ao dar entrada no hospital, Ligia implorou apenas que chamassem o médico que fizera seu pré-natal, mas nem ele chegou a tempo, a dilatação estava adiantada e o bebê quase escorregava por suas pernas, deu tempo apenas de deitá-la e realizar o parto normal com a equipe que estava de plantão. Correu tudo bem. Ligia era uma moça saudável de 29 anos, bacia larga, boa parideira. Deu à luz, à sua semelhança, uma menina que veio ao mundo antes do esperado, pesando três quilos e cem gramas.

Da sala de parto foi direto para a sala de recuperação. Uma enfermeira lhe deu um comprimido e sugeriu que dormisse, mas Ligia não tinha sono. Não estava feliz nem triste, apenas espantada com a própria indiferença diante do que é considerado o grande feito de uma mulher, e agradecida por alguém estar cuidando do bebê enquanto repousava. Percebeu que na maca ao lado havia uma morena de aparência descuidada, vestindo um avental hospitalar idêntico ao seu. A barriga da morena ainda não havia desinchado, parecia que ainda estava grávida. Ligia pensou em perguntar alguma coisa, qualquer coisa, afinal, eram companheiras de sala e de situação, mas deixou para lá. Porém a morena pressentiu que havia abertura para a troca de confidências. "Meu quinto garoto. Cinco homens." Ligia percebeu o sotaque do Alentejo, talvez aquela fosse a ala das estrangeiras que não tinham onde cair mortas. "Do mesmo pai?", perguntou Ligia. A portuguesa riu de forma debochada. Fez que não com a cabeça. "Vim da rua. E vou voltar pra ela. Os miúdos são descuidos meus. Minha mãe ajuda enquanto trabalho." Ligia não comentou nada. A portuguesa estava com vontade de falar. "A velha vai me chamar de incompetente por não dar a ela uma neta. Antes de eu sair de casa ainda me disse: volta com uma menina dessa vez ou não conte mais comigo, sua imprestável. Muito amorosa, ela." Ligia não sabia o que dizer. Não era o caso de dar parabéns. Ninguém cumprimentava ninguém naquela maternidade, a equipe apenas cumpria o serviço de forma impessoal e eficiente. "A sua filha... ela é bonita?", perguntou a portuguesa, que já sabia que Ligia havia tido uma menina. Alguma funcionária bisbilhoteira, por certo. "Nem vi direito. Eu queria um menino. Mulheres são traiçoeiras, não dá para confiar nelas." A portuguesa rebateu o comentário. "Achei que você fosse uma feminista. Aqui na França todas agora são." Ligia não disse palavra, refletiu. Manteve o olhar num crucifixo pendurado na parede em frente. Disse "eu sou" em voz muito baixa, sem se preocupar em ser escutada, e realmente não foi, a portuguesa não prestou nenhuma atenção. Procurava uma posição confortável na cama, gemia. Seu parto havia sido complicado.

A enfermeira que havia atendido Ligia retornou à sala e aplicou uma injeção na morena, que fez uma careta e logo pareceu aliviar-se das dores. O sono de Ligia começou a vir, mas ainda escutou a companheira resmungar: "O médico disse que perdi o útero. Menos um problema". Silêncio.

Na manhã seguinte, Ligia foi acompanhada pela enfermeira até a calçada. Trazia seu bebê no colo e carregava também uma bolsa grande sobre o ombro. A enfermeira, sendo a única com os braços livres, fez sinal para um táxi que vinha ao longe. Deu um tapinha nas costas de Ligia, desejou boa sorte e desapareceu maternidade adentro.

Enquanto o táxi encostava, Ligia percebeu que a portuguesa saía do hospital, também havia recebido alta, mesmo estando numa situação bem mais precária de saúde. Caminhava encurvada e com passos curtos, como se sentisse muitas dores. Trazia seu bebê e uma sacola menor. Ligia se acomodou no banco traseiro do táxi e deu uma última espiada na parceira de recuperação. O táxi arrancou vagarosamente. Percorreu uns cinquenta metros quando Ligia, num impulso, deu dois toques com o dedo na omoplata do motorista e solicitou que desse ré.

A portuguesa estava parada no mesmo lugar em que um minuto antes estava Ligia, sem o acompanhamento de ninguém e sem saber direito que direção tomar. Ao ver o táxi recuar até chegar à sua frente e a porta traseira abrir, aceitou a carona. Sentou-se ao lado de Ligia, e a única coisa que disse ao entrar no veículo foi o nome de uma rua que ficava numa região periférica da cidade. E mais não falou. Ninguém falou. O rádio não estava ligado, o motorista nada perguntou, não havia chuva ou vento, os pedestres lá fora pareciam caminhar em câmera lenta, o trânsito fluía. Era como se fosse um não tempo, uma não existência. Levou meia hora até que o carro entrasse na rua desejada e a portuguesa apontasse para um prédio decadente, sem número, sem nome. O veículo parou. As duas mulheres se olharam. O motorista deixou o motor ligado. Tirou uma carteira de cigarro do bolso da camisa e buscou uma caixa de fósforos no porta-luvas. As mulheres não disseram nada. A portuguesa abriu a porta ao seu lado e olhou pela última vez para Ligia antes de sair. Ligia não estava nervosa, não parecia ter tido alguma ideia brilhante ou perigosa, estava calma como quem fosse morrer. Colocou seu bebê entre as duas, sobre o banco. A portuguesa manteve a serenidade, como se tivesse ensaiado aquela cena milhares de vezes. Então colocou seu filho nos braços de Ligia, pegou a menina que dormia enrolada num pequeno cobertor e saiu do carro sem pronunciar uma única palavra e sem virar para trás. Quando a porta se fechou, o motorista deu uma baforada e perguntou o endereço seguinte. Ligia recobrou a voz, como se voltasse a aprender a falar, como se estivesse acordando. Deu seu endereço, que ficava no lado oposto da cidade. O motorista arrancou. Ligia pediu que o motorista abrisse a janela para renovar o ar, afinal havia ali um recém-nascido, e juntos se foram. Nem repararam que a portuguesa não havia entrado no prédio. Agarrada à criança em seus braços, ela atravessou a rua em direção a um ponto de ônibus.

48

O silêncio não deve ter durado mais do que dez minutos, mas pareceu ter passado um mês até Chantal levantar a cabeça. Havia escondido o rosto entre as mãos ainda na metade do relato de Ligia, quando pressentiu o desfecho. Não teve nem um fio de esperança de que a narrativa pudesse ganhar outro rumo. Era um misto de perplexidade e confirmação. Gostaria de gritar, chegaria a hora de gritar, mas antes teria que erguer o tronco inteiro e olhar Ligia nos olhos, e quando finalmente teve coragem, foi o sarcasmo que falou primeiro, sem pressa, arrastando-se. "Quer dizer que eu poderia ter um passaporte europeu hoje?" Ligia não se decepcionou, sabia que a fúria cozinha em fogo brando. "É só isso que você tem para dizer?", retrucou. Ora, que Chantal a agredisse de uma vez.

Chantal queria ficar em pé, mas não tinha força, não tinha pernas, quase não tinha voz. Palavras furiosas exigem virulência, mas elas chegavam à boca como se Chantal estivesse delirando em voz baixa, meio grogue. "Você é um iceberg." Ligia teria preferido que Chantal chorasse. Ambas estavam apáticas. Ligia deu uma breve bufada antes de falar. "Não sei o que me deu. Foi um impulso, não planejei. Estava tudo tão propício. Eu, simplesmente... não queria uma menina." E este foi o trovão que prenunciou o temporal. Chantal desmoronou. Era mais que um choro.

Ligia gostaria de chorar também, mas não conseguia fingir nada, nenhuma emoção. Só restava ir até o fim, da forma que fosse. "Quando Nuno chegou de Avignon, eu já estava em casa com o bebê. Com você. Eu devia ter contado, mas não tive coragem. Nunca tive." Chantal ainda ficou um tempo olhando fixo para Ligia, como se estivesse enxergando a mãe pela primeira vez. As lágrimas continuavam a cair, mas aos poucos ela se acalmava e tentava fazer conexões. "O Alex..."

Foi interrompida antes de completar a frase. "Não conte a ele", ordenou Ligia.

"...também não é seu neto."

"Claro que é!"

Foi preciso outro longo silêncio para acomodar as novas verdades. Chantal teve medo de fazer a próxima pergunta, e mais medo ainda da resposta. "Que fim levou ela?" Ligia olhou para baixo, começou a limpar com a mão uma sujeira que não existia em sua calça. "Jerôme tentou localizá-la."

"Jerôme?"

"Contei só para ele. Mas a mulher deu um nome falso no hospital. Não tinha documentos, estava clandestina na França, sei lá, não lembro bem. E ninguém nunca ouviu falar de uma portuguesa naquele prédio no subúrbio. Sumiu."

Chantal escondeu o rosto novamente entre as mãos.

"Deve ter voltado para Portugal... ou morrido... quem vai saber?", concluiu Ligia.

Haveria tempo para Chantal assimilar o que estava escutando, acostumar-se com a história de vida que lhe estava sendo entregue como um presente macabro, parabéns, você nunca foi quem pensava que fosse. A filiação verdadeira seria assimilada com o passar dos anos, agora era preciso entender todo o resto. O comportamento de Ligia, que sempre lhe parecera incompreensível, tornava-se lógico, mas nem por isso inocente. Chantal nunca se sentiu tão fraca, mas ainda tinha um fiapo de energia para atacar a mãe. "Você é uma inconsequente. Uma egoísta. Como é que você viveu esse tempo todo guardando esse... esse... crime?"

Ligia sabia que era a hora de escutar todos os desaforos que merecia. Não iria rebatê-los. No fundo, talvez ansiasse por eles. Se tivesse feito um ultrassom, este confronto teria sido evitado, nenhuma tempestade emocional a alcançaria no futuro, mas o exame não era comum na época, e custava caro. Nuno estava tão empolgado em ser pai que pouco importava o sexo da criança, e Ligia, que tinha sido pega de surpresa por aquela gravidez indesejada, achou que bastaria ignorar o assunto para que sua vida não fosse virada do avesso. Durante o pré-natal, comprou apenas um berço e algumas poucas roupas de bebê, todas azuis e verdes, mais pelo preço em oferta do que por intuição. Não tinha uma única foto daqueles nove meses. Droga, gostaria de chorar.

"Você pensa nela? Na menina?", perguntou Chantal na tentativa de sensibilizar a fortaleza à sua frente, e chegou perto de atingir seu objetivo. Ligia trocou de posição no sofá, em visível desconforto. "Não, eu não pensava mais nisso. Estava feito. Até que você começou a se transformar. Não foi nem tanto pela bizarrice..."

Chantal urrou. "Não fale desse jeito, me respeite!!"

Ligia obedeceu. "Nem tanto pela estranheza." Suspirou antes de continuar. "Não foi por isso, não sou ignorante. Desde criança você dava sinais de que não era como as outras. Mas eu pensei que você fosse gay. Que seria um homem gay. E eu teria respeitado, óbvio. Mas mudar de sexo... Eu via como um insulto. Um tapa na minha cara."

Chantal deu um meio sorriso com a boca trêmula, chorando ainda, devastada pela ironia da história. "Você trocou uma menina... por outra." Ligia levantou e deixou a sala sem dizer uma palavra, entrou no banheiro. Chantal escutou a porta se fechar com firmeza, e a torneira ser aberta.

A ausência momentânea de Ligia silenciou a sala, e quando ela voltou recomposta do banheiro, encontrou Chantal com os olhos ainda inchados, mas com a face seca. E com a alma seca também. Lá fora, o lusco-fusco autorizava Ligia a continuar bebendo. Ela abriu a garrafa fechada que estava sobre o aparador e ignorou o cálice usado. Pegou dois novos cálices na cristaleira, serviu-os de vinho e entregou um deles para Chantal, que relutou por alguns segundos antes de pegá-lo. As duas se olharam com profunda seriedade. E então, como se fechando um negócio, uniram as taças num brinde fúnebre que selava o fim de um segredo. Ligia bebeu um gole. Chantal ainda esperou um pouco, como se avaliasse se deveria, mas acabou por tomar também. Voltaram a ter algo em comum, o mesmo gosto na garganta.

A noite caiu sobre as duas mulheres caladas e exaustas. Uma ficou esparramada na poltrona, a outra, deitada no sofá. Nenhum abajur foi aceso, a escuridão infiltrou-se pelas frestas e ali se acomodou. O único foco de luz vinha da janela, de alguma luminária da rua, livrando o ambiente do breu absoluto. As horas arrastavam-se, sem alterar a inércia das sombras. As mulheres só não eram confundidas com dois cadáveres porque, de vez em quando, Chantal esticava as pernas, para então recolhê-las de novo. Ou então era Ligia que levantava um braço até pousá-lo sobre a testa, para depois descansá-lo novamente ao lado do corpo. Talvez uma tenha conseguido dormir por quinze minutos. Talvez a outra tenha cochilado por menos tempo que isso. Às vezes um suspiro era mais prolongado, houve um momento que uma delas fungou. O motor de um carro foi ouvido ao longe, depois o ruído ficou mais alto quando cruzou em frente à janela, até sumir outra vez e devolver o silêncio àquela madrugada insone. Afora essas poucas intervenções que lembravam que a vida continuava, seria possível escutar a página de um livro desgrudando-se de outra, a poeira baixando sobre o chão, a folha de uma planta crescendo.

Foi um longo velório. Chantal despertou da vigília quando os sons da cidade anunciaram que o dia havia amanhecido. Sentia muita dor no corpo e mataria por um café. Ligia não estava na sala, mas logo apareceu vindo da cozinha com duas xícaras fumegantes nas mãos, como uma enfermeira num alojamento de guerra. Era preciso voltar ao combate.

Beberam quietas. Nenhuma delas gostaria de pronunciar a primeira sílaba, nem ali, nem nunca mais – das coisas impossíveis que a gente deseja. Ao menos, que se mudasse de assunto. Chantal se levantou. Seu vestido estava amarrotado e não havia mais resquício de maquiagem nos olhos ou na boca, mas não se constrangeu, certos momentos precisam ser vividos com o rosto que se tem. Foi até sua bolsa e retirou um envelope. Deixou-o sobre a mesinha de centro. "Estive com Jerôme. Mandou isso para você." Ligia precisou de alguns segundos para reconstituir os dias anteriores de Chantal, lembrar onde ela estivera até entrar naquele apartamento. As trivialidades, aos poucos, começavam a ganhar um contorno, fazer parte da conversa. Estava recebendo um presente. Talvez dois, se aquela fosse a oportunidade de dar ao desfecho da discussão uma dimensão menos dramática.

Ligia descolou o lacre e abriu a aba do envelope com cuidado. Percebeu que o papel que havia dentro era consistente, o que a deixou aliviada: por um momento pensou que pudesse ser um documento, uma certidão, um bilhete, qualquer coisa que a obrigasse a continuar mantendo vivo aquele episódio que, uma vez extraído de dentro dela, desejava sepultar para sempre. Começou a puxar o conteúdo para fora. Era uma foto. Em preto e branco, tamanho 24 x 30 cm. "Quem é que revela foto hoje em dia?", perguntou Chantal, curiosa para ver a imagem que sua mãe a impedia de enxergar. Ainda tirou energia, não se sabe de onde, para fazer piada. "Você abriu um antiquário?"

Ligia estava paralisada. "Provocador", disse. "Provocadora", corrigiu Chantal. "Estou falando de Jerôme." Chantal foi tomada por uma avalanche de sensações contraditórias. Percebeu que preferiria que a mãe estivesse se referindo a ela, exercendo sua implicância habitual. Estaria preparada para ter sua condição finalmente aceita? A mãe voltara-se para dentro dela mesma como um caramujo. Ninguém poderia sondar sua alma naquele instante, a adoção criminosa já parecia um assunto antigo.

49

O sexo daquele fim de tarde havia sido o arremate previsível de um encontro imprevisível. Rever Jerôme sem ter sido avisada foi um susto bom, mas um susto. A ausência do terceiro membro do trio era uma espécie de amputação que ainda fisgava. Haviam compartilhado o mesmo sentimento desconcertante no quarto do hospital, quando Jerôme viu o melhor amigo com vida pela última vez, e a comoção teve continuidade depois, a sós, dentro do apartamento, quando refizeram as conexões do passado. Sem rodeios, foi restabelecido o encaixe indestrutível. Ligia e Jerôme, levados pelo espírito do momento e por um desejo mais dócil do que urgente, novamente transgrediam, reprisando uma cena recorrente nos seus anos de juventude sem que um pingo de culpa os detivesse. Jerôme era atualmente um homem divorciado que se mantinha ativo em seus flertes e conquistas eventuais, e Ligia era Ligia.

Assim que entraram juntos no quarto dela, Jerôme deixou o celular sobre a mesa de cabeceira, mesmo sabendo que não era um gesto cortês. Ligia entendeu. Também costumava ver as horas pelo telefone e ambos estavam cientes de que deveriam valorizar ao máximo aqueles poucos instantes de privacidade, antes que Jerôme tivesse que retornar ao aeroporto para seguir viagem até a Argentina. Ele desabotoou rapidamente a camisa que vestia, ela o abraçou pela cintura e bastou a primeira descarga de adrenalina para que já não fizessem cálculos sobre o tempo que transcorria, respiravam com dificuldade entre um beijo e outro.

Pernas e braços se envolviam em um olá e um adeus simultâneos. Exploravam cada centímetro quadrado do corpo um do outro. Foi intenso e foi rápido. Poucos minutos depois, quando o orgasmo tornou-se iminente, Jerôme, deitado de costas, esticou o braço esquerdo e alcançou seu celular sobre a mesinha, enquanto sentia a vibração do corpo de Ligia sentada sobre sua pelve, despedindo-se do seu autocontrole, ritmando seus movimentos a fim de entrar no estágio em que contração e expansão se fundem num gozo formidável. A expressão dela era de ausência. Os olhos estavam parcialmente fechados. A boca, aberta como se buscasse o grito – que veio, agudo –, mas, a despeito de seu rosto contorcido, dor nenhuma a transpassou, porque nada verdadeiramente dói quando o pensamento nos abandona. *La petite mort* de Ligia estava registrada. Ela caiu para o lado, desfalecida, e não se deu conta da imagem que havia sido eternizada por Jerôme: uma mulher vulcânica em estado de absoluta rendição.

Se não estivesse de tal forma concentrada nessas lembranças, teria reparado que Chantal havia colocado uma música bonita para tocar – ela que também se entregara às suas memórias, diante da janela, mantendo-se alheia ao que acontecia dentro da sala. Ligia recolou a foto dentro do envelope e foi juntar-se à filha. Permaneceu ereta a seu lado. Ambas olhavam em frente, para os prédios da cidade, para a multidão invisível que administrava seus próprios problemas por trás das cortinas e persianas. "Vou morar na praia de novo", disse Ligia. Chantal olhou para a mãe: "Voltar para a vida de antes?".

Num reflexo automático, Ligia começou a balançar o corpo de um lado para o outro, a sincronizá-lo com a melodia que tocava – era um blues? No princípio, mexia apenas os ombros e a cabeça, como se estivesse ninando a si mesma. Chantal nunca tinha visto Ligia tão delicada, tão desprendida, e, sem pensar – que é quando fazemos o que realmente tem que ser feito –, enlaçou a mãe pela cintura, conduzindo-a numa dança terna e ao mesmo tempo firme.

Ficaram de frente uma para a outra.

Formaram um par.

Moviam-se com cadência, como se estivessem num salão de festas vazio.

Sem perder o compasso, Ligia descansou a testa no ombro de Chantal. Queria dizer obrigada, mas disse: "Não existe mais a vida de antes".

50

Voltar à casa de Torre Azul teve um significado muito diferente do das outras vezes. O verbo "voltar" nem mesmo se aplicava, pois já não era um resgate do passado, e sim um futuro que estreava. Incluía abrir todas as portas e janelas, e ampliar as brechas para que outras pessoas entrassem em sua vida, sem o medo de que elas fossem roubar algo precioso e fugissem sem devolver.

Ligia estava indefesa pela primeira vez, e gostando da situação. Andava exposta pelas ruas sem temer ser abordada. Havia encontrado a mãe de Matias no mercado, certa manhã, e pela primeira vez não se escondeu em meio aos corredores como uma ladra, não se sentiu desajeitada ao dar dois beijos numa mulher que ainda não havia se tornado íntima. Não tinha do que se proteger, afinal. Por que os outros estariam mais interessados nela do que ela nos outros? A descoberta de que era tão insignificante quanto qualquer pessoa deu a Ligia uma liberdade que desconhecia. Conversaram rapidamente sobre a rotina do garoto nos Estados Unidos, sobre sua rápida adaptação à nova escola e mais algum outro assunto trivial, e despediram-se com a promessa de reverem-se para um almoço, o que Ligia já compreendia ser uma despedida *pro forma*, sem muita chance de acontecer, portanto não ficou desesperada. Viver não doía. Não mais.

Seria exagero dizer que colecionava porta-retratos sobre o aparador da sala, eram poucos. Um deles mostrava uma linda foto do trio de amigos em Paris: Nuno, Jerôme e Ligia em um café perto da Place d'Italie no início dos anos 70. Havia uma foto de Alex quando criança, e outra de Ligia e Nuno já maduros, alguns anos antes de ele adoecer. Uma de suas últimas tarefas antes de deixar a capital para retornar à praia foi passar em uma agência lotérica que fazia cópias digitais, agora que tinha aprendido que era possível imprimir fotos tiradas de celular. Satisfeita pela facilidade com que foi atendida, comprou um novo porta-retratos e o adicionou à coleção, mas, naturalmente, não expôs o registro erótico feito por Jerôme, quando foi flagrada naquele exato e glorioso instante em que se morre e se renasce. Colocou, isso sim, a foto que Alex havia tirado recentemente, sem que ela autorizasse. Um flash roubado. Apenas ela. Sozinha. Sorrindo de um jeito que nunca imaginara possível.

Lavada a louça do almoço, Juliana entrou na sala vestida para ir embora. Agora que a patroa havia retornado para Torre Azul, os serviços domésticos estavam novamente sob sua responsabilidade. Limpava a casa pela manhã e preparava o almoço de Ligia em porções fartas, para que sobrasse para o jantar. Continuava cantando no karaokê do único bar da cidade e ainda não havia casado, mas seguia comprometida com Juarez, o dono da oficina, que naquele instante estava buzinando sua moto lá fora, à espera da namorada para aproveitarem o resto da tarde. Ligia resolveu acompanhar Juliana até o portão, já passava do momento de conhecer o príncipe encantado de sua funcionária.

Ao chegarem à calçada, Juarez não teve a boa educação de apear da moto, mas estendeu a mão para Ligia com cordialidade. "Prazer. Juarez Ferreira." Ligia apertou a mão dele e puxou conversa. "Será que somos parentes?" Juliana havia percebido que Ligia andava menos retraída, mas estranhou a pergunta informal e não disfarçou o semblante intrigado. "Que foi, Juliana?", perguntou Ligia. "Não sabia que sou Ferreira também?" A correspondência e as contas costumavam chegar pelo correio em nome de Nuno Garcia. Juliana já havia escutado, por trás das paredes, algum comentário sobre o casal não assinar o mesmo sobrenome, então tinha feito uma dedução que lhe parecia óbvia: "A senhora é Ligia Ferrand. Mãe de Chantal Ferrand".

A gargalhada se espalhou pela rua vazia. "Sempre fomos Ferreira, garota."

Despediram-se, e enquanto Juliana subia na garupa da moto e sumia com seu amado, Ligia não pôde evitar uma súbita emoção ao se dar conta, pela primeira vez, que a filha havia afrancesado o sobrenome da mãe para firmar seu nome artístico.

O sol ainda estava a meio caminho do horizonte quando Ligia, entretida com um livro na sala, foi surpreendida pela batida na porta. Antes que pudesse abri-la, viu Alex já com meio corpo para dentro: havia usado sua própria chave. "Vó?" Ligia envolveu-o num abraço que acusava a saudade daquele menino que já era um homem. "Meu querido." Alex não abriu totalmente a porta. "Tem uma pessoa aqui comigo." Ligia estava especialmente suave naquela tarde azulada. "Tina? Pati? Nanda? Beta? Sofia?" Alex sacudiu a cabeça reprovando a tentativa da avó de ser engraçadinha, mas isso não a desanimou. "Bia? Carol?" A porta se abriu e Ligia levou as duas mãos ao peito, como se tivesse escutado seu número no sorteio de um grande prêmio. "Rosaura!" Se existe uma duração padrão para um abraço, as duas amigas certamente o extrapolaram.

Em poucos minutos, estavam os três sentados em volta de uma mesa de plástico no único quiosque apresentável que havia à beira-mar, aproveitando o resto de luminosidade antes de a tarde findar por completo.

Diante de dois copos de caipirinha já consumidos, Rosaura não fechava a matraca, atualizando Ligia e Alex sobre suas aventuras urbanas. Avó e neto não a interrompiam, hipnotizados pelas cores e pela energia que Rosaura trazia para aquele local insosso, tão carente de movimento. Só quando o dono do quiosque veio recolher os dois copos vazios – e deixar outro cheio – foi que Rosaura se aquietou um pouco. "Agradecida", disse educadamente ao homem que já se afastava. Levou à boca o primeiro gole da terceira temporada do seu drinque e olhou romanticamente para o mar, e em seguida para a rua onde não passava veículo nenhum, afora um pescador de bicicleta. "Sempre quis saber como é a sensação de viver isolada."

"Gostando?", perguntou Alex.

"A vista é bonita, mas falta trânsito, alarme de carro, essas coisas. Silêncio demais atormenta."

Rosaura achou que Alex se impressionaria com a frase inspirada, mas percebeu que ele já não olhava diretamente para ela: seu foco estava cinco palmos acima. Alguém havia chegado por trás. Rosaura virou-se e deparou com Paulo, o instrutor de surf, sem camisa, apenas de bermuda. Ele fez uma mesura em direção a Ligia, deu um meio sorriso para Rosaura e falou para Alex: "E aí, moleque? Não sabia que você estava na área. Bora fazer uma aula?". Rosaura não se movia, nem mesmo piscava.

"Cara, tô voltando pra cidade, o ônibus sai daqui a pouco", respondeu Alex. Rosaura virou-se para Ligia e falou sem a menor discrição: "A vista não é bonita, é um colosso". Ligia escondeu seu sorriso com as mãos, ainda não estava cem por cento acostumada com a espontaneidade da ex-vizinha. Se Paulo escutou, fez que não. "Você que sabe, Alex. Quando puder, é só mandar uma mensagem." Distribuiu um sorriso geral para os ocupantes da mesa e seguiu caminhando pelo calçadão, acompanhado pelo olhar vidrado de Rosaura, que o perscrutou de cima a baixo e decretou: "Escorpião e filho de Ogum".

Fazia tempo que Ligia não se divertia assim. "Terceira caipirinha e essa louca já está misturando astrologia com orixás." Rosaura manteve-se dedicada ao jogo de adivinhação. "Ascendente em Áries, lua em Capricórnio e solteiro. Acertei?", perguntou esperançosa para Alex, que fez um suspense de alguns segundos antes de responder: "Casado, dois filhos". Rosaura deu de ombros: "Uma gafe do destino, só isso".

Assim que o sol se pôs, levantaram-se os três e abraçaram-se, o ônibus não demoraria a partir. Alex e Rosaura se ofereceram para acompanhar Ligia até sua casa, mas ela recusou, não queria atrasá-los. Seu esconderijo, afinal, ficava a apenas duas quadras de distância. Que se apressassem ou perderiam o ônibus – e assim foi, apressaram-se. Enquanto Ligia acertava a conta, que fez questão de pagar, Rosaura debruçou-se sobre o braço de Alex em busca de equilíbrio, e então iniciaram os primeiros passos cambaleantes rumo à rodoviária. Ao desaparecerem de vista, Ligia dobrou três vezes a barra da sua calça, tirou os sapatos e começou a caminhar em direção ao mar. Os pés logo se acostumaram à areia gelada, sensação prazerosa da qual não enjoava. O céu estava azul-marinho e as primeiras estrelas começavam a aparecer. O som das ondas parecia o de um contrabaixo, ou era Ligia que estava escutando alguma música interior. Olhou para cima e avistou um naco de lua crescente, que em poucos dias iria evoluir para uma arredondada lua cheia, o holofote que iluminaria sua alma, já sem encontrar altos índices de amargura – mas por nada abandonaria o sadismo e o sarcasmo, que lhe caíam tão bem. Encerrado o longo período de desolação, a praia talvez viesse a significar para ela o que significava para tanta gente, um convite ao despudor e à naturalidade. Pensou em Jerôme, talvez fosse boa ideia ir visitá-lo, tinham muito a conversar, e sentia saudades dos croissants de Paris, cujo sabor ela teimava em reproduzir em casa sem o mesmo sucesso. Precisava pedir a Alex uma foto de Chantal. Ou ela mesma tiraria uma foto da filha, agora que tinha um celular decente.

 E então tudo calou, a vida de fora e a de dentro. Sentiu a cabeça vazia de ideias, vazia de opiniões, e o corpo igualmente sem peso, vaporoso. Mal percebeu que havia alcançado o mar. Uma onda mais ligeira molhou seus pés e respingou na calça dobrada. Olhou para trás, talvez Nuno estivesse sentado na areia, sobre um casaco, esperando por ela. Não havia ninguém esperando por ela, a vida havia se descomplicado e sua história poderia ser recontada, ao menos para si mesma, de forma menos tensa. Rosaura era um gênio. No fim das contas, nossos erros, mesmo os imperdoáveis, não passam disso, uma gafe do destino.

Agradecimentos

Em 2016, recebi o e-mail de um cineasta gaúcho que morava em Londres. Não o conhecia. Ele já havia dirigido alguns curtas-metragens premiados e, decidido a filmar seu primeiro longa, propôs a adaptação de uma crônica minha, cujo roteiro ficaria a meu encargo – mesmo eu nunca tendo feito isso antes. Uma aventura para todos, sem qualquer garantia de sucesso. Aceitei. Às vezes, topo correr alguns riscos.

Durante todo o ano de 2017, me predispus a escrever uma história construída apenas por cenas e diálogos, sem ter experiência e a menor ideia aonde aquilo iria dar. O cineasta veio a Porto Alegre por uns dias, fizemos planos, viramos amigos, ele retornou à Inglaterra, e eu continuei sendo desafiada a dar forma a um filme que interessasse, que encantasse – ou que apenas divertisse. Mas minha empolgação não bastou, reconheci minha dificuldade e pedi uma supervisão. Um roteirista paulista embarcou na viagem em andamento e passou a dar sugestões.

Foram estes dois caras que me deram norte e suporte. Andrei Koscina e Sergio Clemente, muito obrigada.

O filme acabou não saindo (mas ainda estão rolando os dados) e o roteiro virou este romance. Ficou maior, melhor e mais doido, mas sem vocês eu não teria nem começado.

E Caroline Chang – querida Cacá –, dois beijos estalados na bochecha pela leitura atenta e os toques, todos.

Ah, só mais uma coisa: naturalmente, não foi Ligia quem traduziu o livro *Um toque na estrela*, de Benoîte Groult, e sim Ari Roitman e Carmem Cacciacarro.

lepmeditores
www.lpm.com.br
o site que conta tudo

IMPRESSÃO:

PALLOTTI
GRÁFICA

Santa Maria - RS | Fone: (55) 3220.4500
www.graficapallotti.com.br